ZAKONNICE
ODCHODZĄ
PO CICHU

MARTA ABRAMOWICZ

ZAKONNICE
ODCHODZĄ
PO CICHU

WYDAWNICTWO KRYTYKI POLITYCZNEJ

– Miałam obiecać, że nie będę o tym z nikim rozmawiać.
– O czym?
– O tym, o czym pani właśnie mówię.

*

– Jest pani pierwszą osobą, z którą o tym rozmawiam.

*

– Nigdy o tym nikomu nie opowiadałam.

WSTĘP: **KORESPONDENCJA**

Podobno co piąta osoba zna byłą zakonnicę. Chcę z nimi porozmawiać, bo piszę książkę. Znasz taką osobę? Albo kogoś, kto mógłby ją znać? Każda pomoc na wagę złota.

Taki mejl wysłałam do znajomych na Facebooku. Rzeczywiście, co piąta osoba znała byłą zakonnicę:

– To moja kuzynka. Ale z tą częścią rodziny nie rozmawiam od lat.

– Kiedy uczyłem w Akademii Sztuk Pięknych, miałem taką studentkę. Dyplom robiła już bez habitu. Zupełnie nie wiem, jak ją namierzyć.

– Moja koleżanka z podstawówki była w klasztorze. Ale wyjechała gdzieś za granicę i urwał nam się kontakt.

– Sama chciałam kiedyś napisać książkę o byłej zakonnicy. Rzuciła zakon, żyła z księdzem na plebanii i pracowała w szkole jako katechetka. Niestety, nie chciała o tym rozmawiać. Teraz nie wiem nawet, gdzie mieszka.

Połowa osób zadeklarowała, że zna byłego księdza lub zakonnika, a nawet kilku, i może dać namiary. Poprosiłam o kontakty, licząc, że duchowni będą mieli lepsze rozeznanie w świecie sióstr niż świeccy. Napisałam do Stanisława Obirka, Jacka Krzysztofowicza i Tadeusza Bartosia, księży zakonników, których odejścia były szeroko dyskutowane w mediach. Nie wiedzieli jednak więcej niż inni.

– Przykro mi, ale nie mam kontaktów z byłymi zakonnicami. To temat bardzo trudny i właściwie niezbadany, ale nie wiem, jak do nich dotrzeć – odpowiedział jeden.

– Prawdę powiedziawszy, choć byłe zakonnice nieraz spotykałem, to na ogół nie utrzymywałem z nimi dłuższych kontaktów. Osoba, do której mam namiary, nie zgodziła się, żebym je przekazał. Nie mogę pomóc... Mimo wszystko życzę powodzenia – odpowiedział drugi.

– Niestety, nie udało się namówić mojej znajomej – odpowiedział trzeci.

Dlaczego zakonnice znikają bez śladu? – zastanawiałam się. Przecież byli księża bez ogródek mówią w telewizji o swoim odejściu z Kościoła.

Miałam jednak jeszcze nadzieję, bo przez wiele lat badałam grupy w socjologii zwane *hidden*, czyli ukrytymi. Mimo wszystko zawsze udawało mi się dotrzeć czy to do gejów i lesbijek strzegących swojej prywatności, czy to do wychowanków domów dziecka, po których ślad zaginął. W takich sytuacjach – analizowałam – najlepiej sprawdziła się kula śnieżna, internet i pomoc ludzi dobrej woli.

Kula śnieżna to metoda docierania do ludzi, których trudno znaleźć. Zaczyna się od jednej osoby, która daje kontakt do następnej, a ta do kolejnej. Pierwszy wychowanek poznał mnie ze swoimi koleżankami, które także były w domu dziecka. One dały namiary do następnych i tak dalej, aż stworzył się łańcuch kilkuset osób. W ten sposób badacze poznali społeczność paralotniarzy, kierowców quadów, muzyków jazzowych, osób uzależnionych od hazardu czy bezdomnych.

Pierwsze trzy byłe siostry, do których dostałam telefon, stwierdziły, że nie znają żadnych innych. To samo powiedziały czwarta, piąta i szósta. Zakonnice odchodzą pojedynczo i po cichu. Nie mają ze sobą kontaktu. Nie było szans na kulę śnieżną.

A więc internet. Szukałam miejsc, gdzie w sieci kontaktują się ze sobą byłe siostry. Na forach o tematyce powołaniowej znalazłam tylko rozterki młodych dziewcząt, czy powinny wstąpić do zakonu. Nic więcej. Byłe siostry nie szukają ze sobą kontaktu. Z ciekawszych tropów tylko Stowarzyszenie Byłych Księży i Ich Rodzin. Stowarzyszenia Byłych Zakonnic nikt jeszcze nie założył.

Napisałam do księży. Odpowiedzieli, że stowarzyszenie nie prowadzi kartotek osób opuszczających stan duchowny. Polecają zamieścić apel na ich forum. Może ktoś się zgłosi. Obiecali przesłać wiadomość do swoich kontaktów.

W sieci znalazłam też chrześcijańską poradnię psychologiczną dla byłych duchownych kierowaną przez protestanckiego księdza. Pastor nie bardzo chciał się spotkać, ale obiecał przesłać moją prośbę dalej. Po dwóch tygodniach dał znać, że przesłał, ale większość byłych zakonnic od razu odmówiła.

– Kobiety, zakonnice, mają zwykle poczucie winy większe niż mężczyźni, obarczają się odpowiedzialnością za wszystkie grzechy świata i chcą cierpieć w ukryciu – tłumaczył.

Pozostali ludzie dobrej woli. Teraz już pytałam o kontakty każdą napotkaną osobę. Pomagali zarówno sympatycy Ruchu Palikota, jak i znajomi głęboko zaangażowani w życie Kościoła.

– Znam dwie, ale nie rozmawiają ze mną, bo jestem lesbijką. Jedna normalnie ucieka przede mną na ulicy. Postaram się zadziałać, chociaż to hardkorowe przypadki. Nie wiem, czy te dziewczyny otworzą się na kogoś obcego. Jedna była w zakonie, gdzie stosuje się samobiczowanie, a druga u kalkucianek. Traumatycznie to zniosły.

– Niestety, dla mojej koleżanki to trudny temat. Spowiednik polecił jej, żeby już nigdy z nikim do tego nie wracała – relacjonował przyjaciel, były dominikanin.

– Moja przyjaciółka dobrze zna to środowisko. Mówi, że byli są wyłącznie księża. Dla niej ekszakonnica to kosmita.

– Moja ciotka. Znam powody, dla których zrezygnowała, ale ona nikomu o tym nie opowiada. Trudne zadanie przed tobą

– mówił mi znajomy po mszy. – Podobno z zakonu porwał swoją żonę detektyw Rutkowski.

Wszystko to nie przybliżyło mnie jeszcze do meritum.

Zadzwoniłam do Zuzanny Radzik, teolożki feministki, która właśnie skończyła książkę o kobietach w Kościele. Musi coś wiedzieć.

– Łatwiej mi było umówić się na rozmowę z przeoryszą na Filipinach niż z kimś w Polsce – rozwiała moje nadzieje.

– W związku z tym postanowiłam nie pisać o polskich zakonnicach.

Pozostała ostatnia deska ratunku. Profesor Baniak. Profesor Józef Baniak, socjolog religii, ukończył teologię na KUL-u i pracuje na Uniwersytecie im. Adama Mickiewicza w Poznaniu. Od lat bada księży i zakonników, a także żony byłych księży i ich dzieci. Pyta też gimnazjalistów, co myślą o Kościele, a katolickie rodziny, co sądzą o moralności. W ciągu ostatnich trzech lat wydał jedenaście książek, poprzednich już nie liczyłam. W świecie uniwersyteckim wydanie jednej rocznie jest wielkim osiągnięciem. Przejrzałam jego prace – prawie nic o zakonnicach. Ale na pewno próbował je badać. Napisałam z prośbą o pomoc.

Po dwóch dniach przyszła odpowiedź:

Szanowna Pani,

podjęła się Pani zadania bardzo trudnego, obecnie niemal niewykonalnego. Jednak warto próbować je wykonać, choćby w minimalnym zakresie. Temat losu byłych zakonnic jest zupełnie niezbadany pod każdym względem, w tym socjologicznie. Ja próbowałem nim się zająć, lecz jak dotąd bezskutecznie – w wielu zakonach nie wyrażono zgody na takie badania.

Może warto poszukać byłych zakonnic w internecie, one tam, przynajmniej niektóre, mniej zastraszone przez Kościół, opowiadają o swoim życiu we wspólnocie zakonnej, w tym o własnej seksualności? Na pewno Pani wie, że w Polsce funkcjonuje stowarzyszenie byłych osób duchownych, może oni zechcieliby wskazać takie zakonnice?

Jednak życzę powodzenia w tych staraniach.

Józef Baniak

Dwadzieścia – to dużo czy mało? Dotarcie do dwudziestu byłych zakonnic zajęło mi pół roku.

BOHATERKI

Coraz to z ciebie, jako z drzazgi smolnéj,
Wokoło lecą szmaty zapalone;
Gorejąc, nie wiesz, czy? stawasz się w o l n y,
Czy to, co t w o j e, ma być zatracone.

Czy popiół tylko zostanie i zamęt,
Co idzie w przepaść z burzą? – czy zostanie
Na dnie popiołu gwiaździsty dyjament,
Wiekuistego zwycięstwa zaranie!...

CYPRIAN KAMIL NORWID, *W pamiętniku*

Zajmij zawsze grzecznie swoje miejsce
i spełniaj to, czego od ciebie żądają.

Nie korzystaj z okazji, aby pozwalać sobie na to,
czego zabrania ci reguła. Oko Boga śledzi cię
także tam, gdzie nie sięga oko przełożonej.

PELLEGRINO CECCARELLI, *Savoir-vivre siostry zakonnej*,
Wydawnictwo OO. Karmelitów Bosych, Kraków 1985

SIOSTRA JOANNA
I SIOSTRA MAGDALENA

Habit już uszyty. Za dwa miesiące siostra Joanna uroczyście otrzyma go z rąk Mistrzyni. Będą obłóczyny. Zacznie się nowicjat. Ale teraz jest noc i siostra Joanna myśli tylko o tym, czy wszyscy zasnęli. Dochodzi dziesiąta. Jest po komplecie, światła zgaszone. Nie wolno opuścić łóżka, nie wolno się odezwać. Siostra Joanna łamie reguły zakonne i wymyka się z pokoju. Przebiega pod ścianą, po schodach w górę, do biblioteki. Drzwi skrzypią. Trzeba uważać. Między regałami czeka już siostra Magdalena. Siadają obok siebie. Jest tak ciemno, że będą mogły zobaczyć się dopiero, kiedy zacznie świtać.

Piąta rano. Magdalena zwleka się z łóżka. Ma pozwolenie od Mistrzyni, żeby wstać piętnaście minut wcześniej. Chciała się myć też rano, a nie tylko wieczorem. Kiedy wychodzi z łazienki, współsiostry są już gotowe. Szybko, biała bluzka, czarna spódnica. Ściągnąć włosy, poprawić kołnierzyk. Biegnie do kaplicy. Jeszcze słychać szelest habitów. Jeszcze komuś spadł brewiarz. Przeciska się między siostrami na swoje miejsce. Zdążyła.

Rozpoczyna się liturgia godzin. Poranna modlitwa jutrznia. Czytania, hymny, psalmy. Matka intonuje: „Powstało słońce płomienne i skłania serca do skruchy"...

Magdalena patrzy na zegarek. Dochodzi siódma. Jest głodna, słyszy, jak burczy jej w brzuchu. A jeszcze msza i kontemplacja. Rozgląda się. Część postulantek śpi w ławkach. Obudzą się, kiedy współsiostry przekażą im znak pokoju. Patrzy na Joannę, zatopioną w modlitwie. Magdalena tak nie potrafi. Po co ta kontemplacja? Od klęczenia bolą kolana. Mistrzyni uczyła: nie myśl, trwaj w kontakcie z Bogiem, rozważaj. Więc rozważa, że wolałaby konkretniej służyć Bogu. Pomagać ludziom, uczyć religii. Myślała, że dominikanki to żeńska odmiana dominikanów. Że będzie jak u braci: teologia, filozofia, nauka. Ale nie, siostry mają sprzątać, gotować i ustrajać ołtarz. Koniec kontemplacji. Ósma trzydzieści. Śniadanie.

Jedna za drugą wychodzą z kaplicy, śpiewając: *De profundis clamavi ad te, Domine...* Z głębokości wołam do Ciebie, Panie...

Ale zanim pójdą do refektarza, wchodzą do sali postulatu. Jeszcze akty. Stają w szeregu przed Mistrzynią. Jeśli coś zawiniłaś od komplety do rana, teraz musisz publicznie to wyznać.

– Poszłam pomodlić się do kaplicy w trakcie ciszy nocnej – mówi jedna.

– Zjadłam jabłko w pokoju, nie w refektarzu – mówi druga.

– Trzasnęłam drzwiami po komplecie – mówi trzecia.

– Spędziłam noc w bibliotece – mówi Magdalena. Chce dodać: „z drugą współsiostrą", ale rezygnuje.

– Znowu? – karci ją spojrzeniem Mistrzyni.

Rozdział obowiązków. Joanna do kuchni. Magdalena do ogrodu. Mistrzyni dba, żeby nigdy nie były razem. Ostatnio podeszła do nich, kiedy Joanna myła schody, a Magdalena na chwilę przystanęła, i syknęła: – A wy co, stare dobre małżeństwo?

O co jej chodzi? Łączy je tylko duchowa więź. To chyba naturalne, że chcą jak najwięcej czasu spędzać ze sobą. Przecież w zakonie jest więcej takich przyjaźni. Siostry Maura i Aniela, one nawet pokoje mają obok siebie, na samej górze. Wszędzie razem chodzą, do pracy, na rekreację, na zakupy. Najmilsze i najbardziej uśmiechnięte osoby tutaj. Albo Julia z tą Gośką, co wszystkie podszczypuje, ich też się czepiają. Jak przybiegły spóźnione do kaplicy, to prosiły, żeby Joanna weszła z nimi, że niby gdzieś były razem, we trójkę. Albo Agata i Łucja z junioratu. Agata ostatnio zalewała się łzami, bo Łucja przez tydzień nie chciała się z nią spotykać. Już chyba jest dobrze, bo wczoraj razem chodziły po ogrodzie...

Mistrzyni przestrzega: żadnych indywidualnych przyjaźni. Więzi mają być wspólne, bo jesteśmy wspólnotą. Jeśli chcesz w niedzielę pójść na spacer ze współsiostrą, to za każdym razem z inną. Rozmawiaj ze wszystkimi, z żadną częściej, z żadną dłużej. Właśnie tak ma wyglądać siostrzeństwo w Chrystusie. I z profeskami nie wolno wam, postulantkom, mieć kontaktu więcej niż to konieczne. Z profeskami, czyli siostrami, które złożyły już śluby. Nie wolno zagadywać, wchodzić do ich cel, spotykać się z nimi w ciągu dnia, chyba że wymaga tego wasza praca. Dlaczego? Bo tak jest przyjęte. Mistrzyni nie tłumaczy. Nie ma obyczaju wyjaśniania przepisów, reguł i poleceń. Tak ma być i już. Wola Boska.

Dyżur w kuchni. Joanna nie może patrzeć na spiżarnię od podłogi do sufitu wypchaną jedzeniem. Dla niej ubóstwo oznaczało, że ma się tylko habit, wiaderko do mycia i grzebień. Jak Matka Teresa. A tu siostry kroją dziesięć ciast na podwieczorek. I dla przełożonych gotują w osobnym garnku lepsze jedzenie. Może się pomyliła i powinna wstąpić do misjonarek miłości?

Południe. Czas na Anioł Pański. Dziś w kaplicy. W niedzielę jest transmisja z Watykanu i siostry modlą się przed telewizorem. Tak samo było w czasie pielgrzymki, kiedy Jan Paweł II wznosił hostię na ekranie. Miały brać udział w mszy, a Mistrzyni kazała duchowo łączyć się z Papieżem.

Magdalena w ogrodzie. Wychowała się w bloku, nie ma pojęcia o ogrodnictwie. Siostra Euzebia opowiada jej, co gdzie rośnie, prosi o wyrwanie chwastów. Jeśli coś nazywa się śmierdziuszek, to chyba musi być chwastem? – Coś ty narobiła, dziewczyno! Przecież to są kwiaty! – krzyczy Euzebia.

Obiad. Wreszcie razem z Magdaleną w refektarzu, bo siedzi się powołaniami, rocznikami, a im wypadło, że naprzeciw siebie. To musiała być wola Boska, inaczej nie zaczęłyby ze sobą rozmawiać. Jeść trzeba w milczeniu, słuchając literatury religijnej.

Ale można przynajmniej bezkarnie na siebie patrzeć. I czasem dowiedzieć się, o czym współsiostra myśli, co lubi, a czego nie. Joanna często jest lektorką. Czyta, a współsiostry jedzą. Kiedy kończy, zwykle nie ma już dla niej obiadu. Jedyna szansa, że będą jakieś resztki przy stole, gdzie siedzi Matka i reszta generalatu. Te resztki z lepszego garnka.

Po obiedzie rekreacja. Czas wolny wspólny, który spędza się razem z innymi siostrami. Rekreacja jest traktowana bardzo poważnie, bo, jak wyjaśniła im to Mistrzyni, służy nie tylko odprężeniu umysłu wśród pracy, ale przede wszystkim zacieśnieniu więzów jedności i miłości w Chrystusie. Joanna nienawidzi tych rozmów o niczym, przyklejonych uśmiechów i obowiązkowego dzielenia się radością życia. Dziś omawiane są nadchodzące imieniny siostry Wikarii, najważniejszej osoby po Matce Generalnej. Joanna przysiada się do Magdaleny i z nudów bawi się sprzączką od jej sandałów. Przynajmniej w taki sposób może być blisko. Słucha z niedowierzaniem, jak Magdalena z werwą omawia szczegóły prezentu. Planowany jest obraz świętego Dominika haftem krzyżykowym, jeśli zdążą go wykonać, a jeśli nie, to figurki wszystkich postulantek z modeliny.

Czas wolny. Klasztor mieści się pod lasem, przy alei wysadzanej kasztanami. Wokół małe uliczki podmiejskiej dzielnicy, domki jednorodzinne, cicho i spokojnie. Gdyby nie krzyż na ścianie, trudno byłoby się zorientować, co znajduje się za ogrodzeniem. Brama zawsze zamknięta, trzeba dzwonić domofonem, żeby dostać się do środka. To nie jest liczące kilkaset lat opactwo. Nie ma tu katedry z XIII wieku, takiej jak ta, w której Magdalena poczuła powołanie. Jest podarowana zgromadzeniu przez pobożną parafiankę willa. Do niej dobudowywano przez lata resztę budynków. Z boku klasztor wygląda jak ośrodek wypoczynkowy – kilka poprzyklejanych do siebie domków połączonych w jeden pawilon. Od frontu stoi część przypominająca szkołę – trzy piętra, część murów pobielono, część została szara. Mieszczą się tutaj kaplica, kuchnia, refektarz i cele sióstr profesek. Postulantki mieszkają w osobnym budynku po przeciwnej stronie ulicy. Tam brama jest zawsze otwarta. Za ogrodzeniem duży ogród, a obok domek księdza kapelana.

Joanna z Magdaleną najbardziej lubią starą willę. Piwnice przerobiono na pokoje gościnne – kilka małych pokoików z tapczanami, w każdym stół przykryty obrusem, parę krzeseł. Po środku większa sala, dawna kaplica, po której została tylko sporej wielkości figura świętego Józefa. Obok maleńkie pomieszczenie. Krzyż, witraż, klęcznik. Tam siostry się spowiadały, a teraz Magdalena powierza Joannie swoje tajemnice. Mówi o ojcu, który pisze listy, o mamie, która czeka na jej powrót z zakonu. O rozstaniu rodziców. O tym, że przerwała teologię, by pójść do dominikanek, i boi się, że siostry nie pozwolą jej wrócić na studia. A przecież mili Bogu są bracia doktorzy i księża profesorowie. Czy zakonnica nie może służyć Panu wykładem, rozprawą, dysertacją? Opowiada o wszystkim, nawet o tym, jak bardzo tęskni za swoim jamnikiem Kasztanem.

Joanna myśli, że ona nigdy nie chciałaby wrócić do siebie na wieś. Do matki, która dbała, żeby dzieci wychować w wierze ojców. Ściśle przestrzegany każdy post, co niedziela o siódmej rano msza, co piątek obowiązkowo droga krzyżowa, a przed Wielkanocą gorzkie żale. Po szkole wszystkie rekolekcje. Najgorsze były maj i październik, kiedy matka co wieczór kazała na kolanach przed obrazem Matki Boskiej odmawiać na głos litanię loretańską. Joanna opowiada Magdalenie, jak płakała, kiedy musiała klepać kolejny różaniec. Jak zaczęła czytać Mertona i Eckharta, jak urzekły ją msze u dominikanów. Że poszła do technikum, na farmację, ale cały czas myślała o zakonie. Bóg oddał swoje życie za nią, więc ona chciała oddać swoje tym, którzy znikąd nie mają pomocy. Zapomnianym i odrzuconym. Wybrała już misjonarki miłości, ale bała się rzucić wszystko i wyjechać do Afryki. Może jednak powinna, bo tutaj w najlepszym razie zostanie pielęgniarką. W gorszym całe życie będzie ścierać kurze w zakrystii, jeśli tak zdecyduje przełożona.

To wielkie szczęście, móc powiedzieć komuś, co się przeżywa. W zakonie nie ma z kim porozmawiać o wątpliwościach.

Ze współsiostrą nie wolno, a odpowiedź Mistrzyni jest zawsze taka sama: musisz to przemodlić. Magdalena wyłamała się pierwsza. W listopadzie podeszła do Joanny i zapytała: Czemu siostra taka smutna? Nie mieszkały w jednym pokoju, nie miały wspólnych obowiązków, nie stały obok siebie podczas modlitwy. Musiały wystarczyć tylko te chwile w refektarzu, kiedy Magdalena patrzyła współsiostrze w oczy, a Joanna lekko trącała jej nogę pod stołem. Czasem mogły jeszcze zamienić słowo w kolejce do spowiedzi. A to przecież za mało, jeśli kogoś tak bardzo chce się poznać, komuś tak dużo opowiedzieć o sobie, z kimś być tak blisko. Noce w bibliotece nie wystarczają, żeby poruszyć wszystkie ważne kwestie. Tematy zdają się nie kończyć. Magdalena pierwszy raz z takim przejęciem kogoś słucha, Joanna pierwszy raz za kimś tęskni. Nigdy nie sądziły, że przyjaźń może być taka piękna.

Z nastaniem wiosny każdą wolną chwilę spędzają razem w starym domku. Nikt tu nie zachodzi. Siadają więc blisko siebie na łóżkach. W kwietniu Joanna pozwala sobie na zdjęcie spinki z włosów siostrze Magdalenie. Zanurza twarz w jej włosach i czuje spokój. W maju pozwoli sobie swoimi ustami dotknąć jej ust. Są jeszcze przed ślubami czystości.

Dzwonią na nieszpory. Tak trudno oderwać się od siebie, ale obowiązki wzywają. Spieszą się. Magdalena biegnie do kaplicy, a Joanna jeszcze do kuchni zrobić kolację siostrze Scholastyce. Siostra Scholastyka ma osiemdziesiąt lat i choruje na parkinsona. Zdarza jej się okładać laską kaloryfer, kiedy usłyszy w nim diabła. Zdarza jej się też biegać w koszuli nocnej i welonie po kościelnym chórze w trakcie nieszporów. Tym razem jest jednak w swoim pokoju. Joanna w biegu robi kanapki z keczupem. Pod keczupem jest jeszcze trochę serka topionego, ale Joanna i tak zapamięta to jako swój największy wyrzut sumienia. Bo nie ma już czasu, żeby nawet chwilę z siostrą posiedzieć. Znów wpadnie ostatnia do kaplicy. Znów Mistrzyni ją skarci.

Opieka nad siostrą Scholastyką to dodatkowy obowiązek, na który Joanna sama musi wygospodarować czas. Nie zwalnia jej ani z modlitw, ani z rekreacji, ani z prac na rzecz wspólnoty. Musiałaby więc oddać te chwile z Magdaleną...

Po kolacji jeszcze pół godziny wspólnego obowiązkowego odpoczynku: rekreacja. Mistrzyni mówi, jak należy rozumieć posłuszeństwo. W Konstytucjach zgromadzenia zapisano:

> W przełożonych niech siostry widzą osoby, które zastępują Boga i służą dobru wspólnoty. Niech więc chętnie poddadzą się ich kierownictwu, w duchu wiary i pokornej uległości spełniają ich polecenia i powierzone sobie zadania, wykorzystując do tego siły rozumu i woli, jak też dary natury i łaski. Czynne i odpowiedzialne posłuszeństwo zapewnia Zgromadzeniu jedność, tężyznę i żywotność.

Oznacza to, przypomina Mistrzyni, że listy mogą podlegać kontroli. Te, które napiszecie, macie mi oddać w niezaklejonej kopercie. Te, które przychodzą, także dostaniecie już otwarte. Na oglądanie telewizji i lekturę książek innych niż w bibliotece musicie mieć zezwolenie przełożonej. Na słuchanie płyt i kaset także. Nie wolno wam mieć żadnych pieniędzy. Wszystko, co przywieziecie z domu, należy najpierw pokazać przełożonej, która wedle uznania rozdysponuje, co możecie zatrzymać, a co winnyście oddać wspólnocie.

– Czy tego chciałam? – pyta siebie Joanna. I przypomina sobie, jak tydzień temu zostało jej z zakupów kilka groszy, których nie oddała. A potem, kiedy szły na wykłady do karmelitów, poczekała, aż siostry znikną za zakrętem, i szybko podbiegła do sprzedawczyni. Kilka groszy starczyło na precla. Cały dzień trzymała go w kieszeni płaszcza, żeby wieczorem zjeść po kryjomu w swoim pokoju. Magdalena uważała, że to niewłaściwe, i nie chciała się poczęstować. Joanna nie miała wyrzutów sumienia. A teraz pyta siebie: czy chcę całe życie nie móc o niczym sama zdecydować? Nawet o głupim preclu?

Koniec rekreacji, teraz do kaplicy na kompletę, ostatnią modlitwę liturgii godzin. Dzień kończą śpiewy: *Salve, Regina,*

Mater misericordiae... Witaj Królowo, Matko Miłosierdzia...
O dwudziestej pierwszej w klasztorze gasną światła.

Habit już uszyty. Siostra Magdalena założy go jak sukienkę.
Na głowę naciągnie białą gębkę, jakby kominiarkę z lycry, na
nią nasadzi sztywny czepek, podobny do tego, jaki noszą pie-
lęgniarki. Będzie widać tylko oczy, usta i nos, włosy schowane.
Do niego przyczepi czarny welon. Trzeba go szpilkami upiąć.
Całe życie upinać, nie tylko do przymiarek. Całe życie. Za dwa
miesiące obłóczyny. Zniknie dla siebie i dla świata. Będzie dla
Boga i wspólnoty. Wypełni powołanie.

Jedna rzecz nie daje jej spokoju. Przeniosą je do innego
klasztoru, a tam nie ma biblioteki. Jak ona będzie się z siostrą
Joanną spotykać? W łazience?

Od jutra urlop. Ostatni przed nowicjatem.

*

Joanna czeka na Magdalenę na peronie z bukiecikiem chabrów.
Czerwiec, jest gorąco. Pociąg się spóźnia. Magdalena nie ma na
sobie czarnej spódnicy i białej bluzki. Nie ma skromnej fryzury.
Niesforne loki, sukienka w kwiaty. Joannie szybciej bije serce:
jaka piękna!

W zakonie mają być jutro po południu. Nocują u kuzynki
Joanny. W kawalerce jest tylko jedno łóżko. Kuzynka daje im
dwie poduszki i koc, a sama kładzie się w kuchni. Nie śpią. Po
raz pierwszy są tak blisko ze sobą. Z drugim człowiekiem. Tylko
że ten człowiek jest kobietą. Czy to się podoba Bogu? Bóg mówi:
wiara, nadzieja, miłość, a spośród nich największa jest miłość.
Magdalena mówi, że kocha. Zatrzymuje się na moment świat.
Chcą się połączyć. Chcą stać się jednym.

Jak po takiej nocy wrócić do zakonu? Nie są już tylko „siostrami w Chrystusie". Magdalena uważa, że ich więź duchowa
usprawiedliwia fizyczną, więc to nie jest grzech. Joanna myśli,
że to jednak grzech. Szuka spowiednika. Ten podchodzi ze zro-

zumieniem. Mówi, że jeśli sytuacja się powtórzy, warto pomyśleć o odejściu z zakonu. Daje rozgrzeszenie.

Przed bramą klasztoru Joanna siada na ławce. Nie chce pójść dalej. Życie w zakonie to rozdzielenie z Magdaleną. Życie na wolności to grzech. Płacze. Magdalena mówi, że sobie poradzą i żeby wracać.

*

Mistrzyni zaostrza rygor. Czujnie im się przygląda. Magdalenie przydziela do pokoju siostrę Jankę: – Gdzie byłaś, Madzia? A co tam robiłaś? Wychodzisz? Pójdę z tobą – i tak w kółko, Janka nie odpuszcza ani na moment. Mistrzyni publicznie rozlicza je z potajemnych schadzek. Rekreacja zamienia się w sąd: – Siostry, wczoraj zostałyście razem z tyłu na spacerze i przyszłyście piętnaście minut po wszystkich. Izolujecie się od wspólnoty! Tak nie wolno! Co się z wami dzieje?

Coraz trudniej się wymknąć. Coraz trudniej wykraść chwilę dla siebie. Najpierw o świcie, gdy Janka wyjdzie do łazienki. Potem między śniadaniem a obowiązkami, kiedy przebierają się w robocze ubrania. Jeśli odpowiednio długo się zbierają i zostaną przez przypadek same, zdążą jeszcze się przytulić w pokoju Joanny. Później dopiero czas wolny przed nieszporami. Jeśli nie w starym domku, to w korytarzu nad pokojami generalatu. Albo w ogrodzie pod czereśnią. Coraz mniej liczą się z opinią, coraz więcej reguł i zakazów łamią. Atmosfera jest napięta, coś pęcznieje w powietrzu. Wszyscy czekają na wybuch.

Magdalena nie chce myśleć o przyszłości. Niech ta chwila trwa, niech nie trzeba będzie podejmować żadnych decyzji. Ale jak długo można nie nazywać tego, co się między nimi dzieje?

Joanna jest rozdarta. On dał jej wszystko, On poświęcił się dla niej. A ona Go zawodzi, ona Go zdradziła.

Ale przecież to On postawił na jej drodze Magdalenę. Może wystawia na próbę, a może chce, żeby ją kochała? Miłość jest czystym dobrem, nie może być złem. A Joanna chce poświęcić swoje życie dla miłości. Dla Niego. Dla niej.

Z Nim chce się połączyć. Z Nim być jednością. W Jego miłości zatopić.

Ale On nie jest cieleśnie. Nie rozmawia. Nie przytula. Sama siebie musisz utulić.

A Magdalena jest obok. Pyta, uśmiecha się, dotyka. Fascynuje, zachwyca, pociąga. Czy Joanna ma dla niej zostawić to życie, gdzie są wszystkie odpowiedzi, gdzie nie ma lęku?

Całą noc sama modli się w kaplicy.

Zacznie wszystko od początku. Odejdzie do misjonarek miłości. Poświęci Magdalenę.

*

Magdalena jest wściekła. Robi wszystko, żeby zmylić Jankę i wykraść dla nich jeszcze jedną chwilę, a Joanna ją zostawia? Jak tak, to koniec! Joanna podczas komplety słabnie, dostaje krwotoku z nosa. Siostry odprowadzają ją do pokoju. Będzie, co ma być.

Raban na korytarzu. Ktoś szarpie ją za ramię, idź do Magdaleny, zanim zrobi coś głupiego. Joanna z daleka widzi swoją współsiostrę, która miota się po pokoju. Ze złością wrzuca jak popadnie rzeczy do plecaka. Joanna zamyka drzwi i siada na łóżku. Patrzy na plecak, duży, zielony, na stelażu. Patrzy na Magdalenę. I nie poznaje siebie, kiedy mówi: – To co, idziemy stąd?

O dwudziestej drugiej docierają na przystanek autobusowy. Mistrzyni wyjechała, nie żegnają się. Nie mają nawet na bilet. W zakonie nie wolno mieć swoich pieniędzy. Ciągną za sobą cały dobytek, tylko kołdry się nie zmieściły. Od klasztoru biegną siostry junioratki i przerażone postulantki. Welony rozwiane, krzyczą: Siostry! Poczekajcie! Chwila wahania. Wysiadają z autobusu.

Mistrzynię zastępuje siostra Beniamina. Mówi, żeby zostały chociaż do rana, bo gdzie teraz pojadą. Kładzie je w pokoju gościnnym. Nie śpią całą noc. Co teraz? Jak to będzie? Rano oficjalne rozmowy. Czy na pewno tego chcą? Już wiedzą, że na pewno. Gdzie pojadą? Do rodziców Magdaleny. Dostają pieniądze na bilet. Wychodzą. Jest piękny czerwcowy poranek. Świeci słońce.

Wolność. Już nie postulantki, nie dominikanki, tylko my, dziewczyny, które chcą być razem! – unosi je beztroska zakochania i rozpiera radość.

Siostra zakonna powinna przejść przez ziemię jako pewnego rodzaju tchnienie, tchnienie wśród rozpasanych namiętności, aby je opanować, tchnienie świętości wśród ludzkich grzechów, aby je zwalczyć i usunąć z życia.

A zatem najpierw musisz się nauczyć zapominać o sobie, o swoich naturalnych wymaganiach i o chwilowych przyjemnościach, musisz najpierw się nauczyć miłować ofiarę, całkowite wyrzeczenie się siebie, oraz zdobyć intensywne życie duchowe.

Wpatruj się w Ukrzyżowanego, który więcej od ciebie wycierpiał, i do tego nie z własnej winy. Spójrz na swoje grzechy, do których odpokutowania nastręcza się doskonała okazja. Popatrz także na grzechy ludzkości, za które pokutować każe ci twoje powołanie, aby wyjednać dla ludzi boskie zmiłowanie.

PELLEGRINO CECCARELLI, *Savoir-vivre siostry zakonnej*, Wydawnictwo OO. Karmelitów Bosych, Kraków 1985

SIOSTRA DOROTA

Pamiętnik siostry Doroty: cztery zeszyty w kratkę zapisane maczkiem czarnym długopisem. Cztery lata w klasztorze. W pierwszych dwóch z postulatu głównie cytaty z Pisma, fragmenty wierszy, książek, nie tylko religijnych. Domyślam się, że to drogowskazy, które miały kierować Dorotę w stronę tego, co najważniejsze. Kolejne dwa zeszyty to pamiętnik nowicjuszki, potem junioratki. Trudno czytać go w autobusie, bo spomiędzy kartek wysypują się święte obrazki z Matką Boską, zasuszone kwiaty i wycinki z gazet. Na jednym fotografia obrazu *Martwy Chrystus* Hansa Holbeina.

Na okładce wykaligrafowane:

„W codzienności składamy dar z siebie przez gesty ofiary, często niepozornej i ukrytej".

Tak miało być każdego dnia, w każdej minucie i każdej sekundzie. Życie zakonnicy miało być nieustannym wyrzeczeniem, ale tak, żeby nikt tego nie widział. Żeby przypadkiem nie służyło wyścigowi do świętości. Przechwalaniu, która bardziej dziś się umartwiła.

Choć zgromadzenie z ducha było franciszkańskie, ale radować siostry miały się poprzez cierpienie. Skąd Dorota o tym wie?

Po pierwsze, powiedziała jej to Mistrzyni. Że należy codziennie składać małe ofiary, codziennie w cichości się umartwić. Po drugie, Papież właśnie uczynił Faustynę świętą. A w swoim *Dzienniczku* pisze ona:

Za każde upokorzenie podziękuję Panu Jezusowi, szczególnie pomodlę się za osobę, która mi dała sposobność upokorzenia. Wyniszczać się będę na korzyść dusz. Nie liczyć się z żadną ofiarą, ścieląc się pod stopy Sióstr, jako dywanik, po którym nie tylko mogą chodzić, ale i swoje stopy mogą obcierać. Pod stopami Sióstr jest dla mnie miejsce. Będę się o nie starać w praktyce w sposób niedostrzegalny dla oka ludzkiego. Wystarcza, że Bóg widzi.

Po trzecie, wzorem takiego życia jest święta Tereska od Dzieciątka Jezus, a Jan Paweł II ogłosił ją Doktorem Kościoła.

Tuż przed obłóczynami Mistrzyni zapytała: Czy chcecie być świętymi? Dorota odpowiedziała, że nie, że przyszła, by zbliżyć się do Boga. Mistrzyni aż zaparło dech w piersi: – Tu jest obowiązek dążenia do świętości! To jest istota bycia w zakonie! Wszystko zmarnujecie, jeśli tego nie zrobicie!

Nikt nie wyjaśnia, co to znaczy być świętą. Ale skoro tak nakazuje Mistrzyni, to Dorota pragnie zrobić wszystko, żeby być jak najlepszą zakonnicą.

Czyta *Dzieje duszy* i chce być taka, jak święta Tereska. Chce pójść jej małą drogą. Tak jak ona oddać się Bogu, uznać swoją nicość i cierpieć z radością, bo „dusza odczuwa szczęście, gdy poświęca się dla Jezusa".

Na wzór Tereski układa swoją małą drogę:
Na rekreacji dosiadać się do sióstr, za którymi nie przepada. Słuchać ich z zainteresowaniem, choćby umierała z nudów. Podczas posiłków odmawiać sobie wszystkiego, co lubi. Czyli jabłek, agrestu, winogron i czekolady. Jeść to, czego nie znosi, czyli cebulę. Taką żywą, parzącą, ostrą. Taką, której nie

może przełknąć. W czasie wolnym nie czytać, choćby nie wiem jak za tym tęskniła. Nie zaglądać do biblioteki, żeby nie mieć pokus. W kaplicy nie rozpraszać się podczas modlitw. Oddać się Jezusowi cała. A kiedy nie wychodzi, to starać się jeszcze mocniej. Wierzyć w głos Pana, który pomoże jej dążyć do doskonałości.

Mistrzyni doradza, aby wzorem dwóch świętych, Faustyny i Tereski, prowadziła dzienniczek. Niech zapisuje w nim swoje grzechy i uchybienia oraz postanowienia poprawy. Będzie widziała swoje postępy. Dorota więc skrupulatnie wszystko notuje.

DZIENNICZEK

Nowicjat, sierpień

Rozdarłam welon. Dopiero co go dostałam, muszę bardziej uważać.
Prosiłam o zacerowanie – pasożytnictwo. Powinnam to zrobić sama.

Przy zmywaniu odwrócić się twarzą w stronę zlewu.
Nie mówić o sobie. W ogóle nie mówić, tylko słuchać.
Trwać w posłuszeństwie: tylko to, co chce przełożony.
Tylko tak, jak chce przełożony. Tylko wtedy, kiedy chce przełożony, Tylko z tą, którą wyznaczy przełożony.

Rozpoznane wady:
1. Kokieteria: nieuleczalna, ciągle zagrażająca, wyłącza myślenie, a działają zmysły i podświadomość.
LECZENIE: oddanie Matce Bożej, uświadomienie sobie, z kim rozmawiam, opanowanie.

2. Łakomstwo: mocno zakorzenione, wciąż nawracające. Powoduje ból brzucha, osłabia czujność, obciąża i rozleniwia.

LECZENIE: nie wykorzystywać okazji, unikać stresów, pamiętać o drobnych umartwieniach.

3. Zdrada: zdradzam Go, choć Go kocham. Nie staram się być zawsze idealna, a powinnam. Z tchórzostwa, nieuwagi, nieświadomie, dla zabawy, bo mi nie wystarcza to, co mam, bo chcę się sprawdzić, coś zdobyć, popisać się.
LECZENIE: umartwianie, pozostawanie tu i teraz.

4. Wymądrzanie: denerwuje otoczenie, ośmiesza mnie w oczach rozmówców. Dotyczy Boga (niedozwolone!), matematyki, historii, ogólnych wiadomości, przeczytanych książek.
LECZENIE: w pierwszej chwili milczenie, próba pokonania chęci mówienia, rozbudzanie w sobie chęci słuchania. Poskromić też dążenie do nauki i nabywania wiedzy.

5. Pragnienie pochwał: silne pragnienie pochwał i akceptacji, silny bunt przeciw naganom.
LECZENIE: postępowanie zgodnie z regułami zgromadzenia, milczące przyjęcie upomnienia, dostosowanie się. Modlitwa do Matki Bożej.

Wrzesień

Żyję swoim życiem. Modlę się, uśmiecham, pracuję.

Cały dzień skupiałam się nie na Bogu, ale na swoich grzechach.
Walnęłam szczotką w barierkę, pracowałam bardzo wolno.
Co robić w gniewie?

Nie podzieliłam się z siostrą Agnieszką ciastem. Dzielić się z siostrami nawet okruchem.
Dzień skupienia zmarnowany na czytaniu.

Śmiałam się głośno w kuchni. Nie przystoi.
Kontrolować zawsze swoją postawę, nie ślizgać się na
krześle.
Notatki z wykładu: Godność siostry zakonnej
Siostra zakonna to nie byle kto. Mamy swoją godność. Nikt
nas nie poniży bardziej niż my same siebie. Mamy godność Oblubienicy Chrystusowej. Odpowiadamy miłością,
bo On nas obdarza miłością.

Październik

Nowicjat: strach, samotność, pustynia. Znów płakałam
wbrew posłuszeństwu. Klęska – żyję w wiecznym strachu.
Rozmawiałam z Mistrzynią. Powiedziałam jej, że nie czuję
się tu kochana, nikt na mnie nie czeka, nie ufa, nie pokłada
nadziei we mnie. Oszukano mnie. To sekta: rozbudowany
aparat powołaniowy, a potem nic już nikogo nie obcho-
dzisz. Służ, kochaj, pracuj, bądź wydajna.
Czy to jest ta czarna noc, o której piszą św. Tereska i św.
Faustyna?

Mistrzyni poradziła, żeby jeszcze więcej się modlić i każdego dnia przyjąć jakieś upokorzenie. To ma pomóc wytrwać
w powołaniu.

O ducha umartwienia proszę Cię, Panie. Cebula.
Zmywanie: nie gadać, nie uderzać garnkami, cicho wszystko stawiać.

Wbrew posłuszeństwu płakałam 6 razy.
Nie potrafię zachować się tak, żeby wszystkich zadowolić.
Zjadłam na kolację dwie kromki zamiast jednej.
Nie pracowałam od 15.15 do 15.45 – lenistwo. Nie dopusz-
czać do bezczynności.

Mistrzyni przyszła po chorobie do kaplicy. Nie zapytałam, jak się czuje.

Co na kolację? Cebula, uśmiech, słuchanie.

Nie zapisuję wbrew posłuszeństwu plusów. A tak nakazał spowiednik. Nie zrobiłam listy zalet.

Na plus: Przyznałam się, że nie umyłam podłogi.
Na minus: Rozglądałam się po ludziach w kościele.

Rekreacja: Nie potrafię rozeznać, kiedy coś powiedzieć, a kiedy słuchać, o czym kiedy mówić.

Na następną: Przygotować coś zabawnego i ciekawego – pomyśl.

Notatki z wykładu: Wnioski do modlitwy kontemplacyjnej Najbardziej liczy się nie to, czy modlitwa jest udana, piękna, pełna głębokich myśli i uczuć, lecz to, czy jest wytrwała i wierna.

Nawet jeśli ktoś jest bardzo praktykujący i zaangażowany, a nie uczynił modlitwy stałą częścią dnia, do pełni jego życia duchowego stale będzie czegoś brakowało. Nie odnajdzie prawdziwego wewnętrznego pokoju, zawsze będzie narażony na nadmierne troski we wszystkim, co będzie robił.

Czas ofiarowany Bogu nigdy nie jest czasem kradzionym ludziom, którzy potrzebują naszej miłości i obecności.

Jeśli zajmiemy się Bogiem, on zajmie się naszymi sprawami znacznie lepiej od nas.

Listopad

Na plus: Po obiedzie siostry mówiły różne rzeczy, a ja nie kwitowałam, nie ucinałam, nie ironizowałam. Chwała Najwyższemu.

Na rekreacji wesołość, radość. Czy tak powinno być?

Jestem przewrażliwiona na punkcie tych obowiązków, które mi nie wychodzą.

Gazety, moda, filmy, piosenki, polityka wpływają na czystość umysłu, który ma być tylko dla Chrystusa.

– A ja bym ustawiła szklanki tak – próbowałam postawić na swoim. Siostra Mistrzyni chciała je ustawić inaczej. A przecież przeznaczono mi słuchać i wykonywać. I to robić powinnam.

Na plus: Nie podjęłam dyskusji o Jedwabnem.
Na minus: Jezus nie jest w centrum mojego życia.
Za dużo gadam, siostra Archaniela mówi, że mam nieprzyjemny dla ucha głos.
Pozwalam sobie na rozmowy, także na tematy świeckie, na swobodną pozycję ciała.

Nie gestykulować. Nie pamiętam, co robiłam z rękami podczas kolacji.
Nie kierować rozmowy na tematy: polityki, filmów, piosenek.

Notatki z wykładu: Wnioski do modlitwy kontemplacyjnej cd.
W modlitwie myślnej liczy się nie to, żeby dużo myśleć, ale żeby bardzo kochać.
Nasza podstawowa praca w tym czasie polega nie na zastanawianiu się, ofiarowywaniu, robieniu czegoś dla Boga, lecz na tym, by mógł nas kochać jak małe dzieci.
Aby naprawdę wejść w głąb modlitwy, trzeba zostać wprowadzonym w stan bierności, w którym Bóg i dusza spotykają się w ukryciu. Trzeba też, żeby nasze serce zostało zranione. Zranione miłością Boga, zranione pragnieniem Ukochanego. Modlitwa może naprawdę wejść w głąb jedynie za cenę takiego zranienia. Bóg musi nas dotknąć na poziomie na tyle głębokim, żebyśmy całą naszą istotą nie mogli się już bez niego obejść. Raniąc nas, coraz głębiej przygotowuje nasze prawdziwe uzdrowienie.

Grudzień

Przespałam kawał adoracji. Brak gorliwości?
Rozproszenia na różańcu.

Rekreacja: skupiałam się na tym, co mówią siostry. Nie zauważyłam, że w centrum nie stoi s. Mistrzyni. Zwrócić na nią uwagę.
Mam takie pragnienia: obejrzeć film o Franciszku, o Abrahamie, przeczytać parę książek. Czy mogę?

W kościele zachowywać ciszę. Nie rozcierać zmarzniętych rąk, nie wycierać nosa.

Chciałabym decydować o wielu rzeczach, ciężko przychodzi mi posłuszeństwo.
Co z cebulą na śniadanie w niedzielę?

Brak miłości do s. Krystyny i do s. Olgi. Dlaczego się nie modlę? Dlaczego brak mi żarliwości w modlitwie?
Jestem łakoma, ser polewam dżemem. A wystarczyłoby nie.
Uważać na przerywanie siostrze Mistrzyni, lepiej przerwać sobie.

Nie mówić Basia, ale siostra Barbara. Używanie zwrotu „siostro" pozwala pamiętać, że rozmawiam ze swoją siostrą. Dzięki temu mogę przyjąć postawę pełną szacunku.

Styczeń

Cukierek jeden, drugi, nieumartwione ciało, ociężała dusza. Powrót do jedzenia cebuli.

Chyba źle zrobiłam, dopraszając się o jedzenie. Czy nie powinnam raczej okazać umiarkowania?

Na plus: pomodliłam się przed posiłkiem, zjadłam w refektarzu. Na minus: nie pomodliłam się po.

Od poznawania siostry Olgi odrzuca mnie znowu zazdrość. Oddałabym mój dowcip za wrażliwość, śpiew za pracowitość, grę na gitarze za panowanie nad sobą; posłuszeństwo, elokwencję za umiejętność pozostawania w cieniu. Nieprawdopodobne, że ktoś może mieć te cechy tak po prostu. Urodzona zakonnica.

Kiedy słucham:
– przestaję jeść,
– staram się przyjąć pozycję szanującą mówiącego,
– nie drapię się po plecach,
– wytrzymuję nieodpartą chęć zmiany tematu.

Nie umartwiłam się na kolacji, nie jedząc masła. Zjadłam kromkę więcej.

Kochać każdą siostrę, bo w każdej mieszka Chrystus.

Siedziałam 25 minut, pijąc herbatę. Lenistwo i senność.

Notatki z konferencji dla sióstr.
„Każdy, kto dla mego imienia opuści dom, braci lub siostry, ojca lub matkę, dzieci lub pole, stokroć tyle otrzyma i życie wieczne odziedziczy" (Mt 19:27–29).
Opuścić – nie myśleć, zaufać, pozostawić, nie powracać, smakować wolności.

Luty

Na adoracji opieram się na łokciach – boli mnie kręgosłup. Gdy zacznę ćwiczyć, może minie. Wtedy jak najmniej się opierać.

Żyć w duchu ubóstwa. Gdy nie stać mnie na coś, poproszę mamę. Poprosić o zatyczki do uszu.

Denerwuję się, kiedy siostry rozkazują mi zrobić coś, co mogłyby same. Przeklinałam przy albie. Oblałam albę wodą i przypaliłam.

Rekreacja toczyła się wokół mojej osoby. Było to przyjemne. Ale czy wysłuchałam, co mówiła s. Mistrzyni o Achabie i Dawidzie?

Nie podziękowałam jeszcze s. Krystynie za herbatę.

Lubię być w centrum uwagi. Ale kiedy czuję się opuszczona, czy nie jestem właśnie w centrum Twojej uwagi?

Przyjechałam z małej wsi do miasta i spotkałam tu siostry. To wszystko otrzymałam z ręki Jezusa. Czy nie powinnam kochać bardziej tego, co On mi daje, kochać Jego rodzinę? Jego miasto? Niech ono będzie w moim sercu na pierwszym planie. To wszystko, z czym przyszłam, moje wiano, posag, oddaję Jemu.

Abym zawsze zjednoczona z Jezusem mogła się modlić 24 godziny na dobę.

Marzec

Rzadko zdarza się zwyciężyć swoją wadę. Widzieć drobne zwycięstwa. One uczą wytrwałości, podtrzymują. Radować się nimi, budować.

Zjadłam jabłko Olgi. Jakim prawem? Co teraz? Boże, na co ja mogę Ci się przydać?

Nie poruszać tematów, na których się nie znam. Czyli: polityka, muzyka klasyczna, żywienie, organizacja ślubów, duchowość, rolnictwo, geografia, historia.
Czy wstaję, jak wchodzi s. Mistrzyni?
Nie skubać skórek. Nie obgryzać ich, gdy z kimś rozmawiam.

Dlaczego musimy gotować księdzu coś innego? Dlaczego on ma jeść kotlety, a my kaszę z masłem? Zadałam przy innych siostrach takie pytanie. Przecież on nie jest gościem, mieszka z nami. A potem jeszcze krytykowałam hierarchię kościelną, pogardzanie siostrami. Nie powinnam tak robić. To moja wada. NIE PANUJĘ NAD JĘZYKIEM.

Kwiecień

Od dłuższego czasu mam rozproszenia na różańcu.
Nie potrafię poddać się posłuszeństwu przełożonej, o wiele łatwiej mówić jest ze spowiednikiem.
Nie mam wdzięcznego usposobienia. Tak mówi s. Mistrzyni.

Interesowanie się sprawami świata: mama przysyła gazety. Zrezygnować z tego, co sprawia mi przyjemność.

Doświadczam wielu wrogich uczuć i myśli w stosunku do wielu sióstr. Odmówić *Zdrowaś Mario* za każdą myśl.

S. Krystyna nie rozumie moich żartów. Czuję, jak mnie atakuje. Zniewala mnie moja do niej niechęć. Przymnóż mi wiary, Panie, że możesz mnie uzdrowić.

Nie jeść jabłek.
Pamiętać o modlitwie przed jedzeniem i po nim. Nie umartwiam się i piłam kompot. Zabrakło dla siostry Mistrzyni.

Na plus: wysłuchałam Olgi, że jej nogi puchną.

Oduczyć się słów: spoko, sorry, kurde, kurczę.
Nie wchodzić po dwa stopnie. Wchodzić z klasą.

Włosy trzeba związać.
Myśli przeciw czystości: chcę ładnie wyglądać, nie mam odwagi wyglądać brzydko.

Maj

Jan Chrzciciel został zabity za prawdę. Był głosem słowa. Ja jestem chyba bełkotem.

Co zrobić w gronie narzekających? To niebezpieczne.

Nie byłam wierna w przestrzeganiu poleceń – przedłużałam te czynności, które sprawiały mi przyjemność. Brak umartwiania i ascezy wewnętrznej.
Buntowałam się przeciwko obowiązkowi, który wykonywałam nie najlepiej, nie chciałam go.
Denerwowałam się przy stole, kiedy dla mnie zabrakło.

Wbrew posłuszeństwu posługiwałam się młodzieżowym slangiem.
Poddawałam się atmosferze nerwowości przed ważnymi wydarzeniami.

Obgadywałam siostrę Olgę: gdzie polazła? Przeklinałam: nie wiem, gdzie co jest w tym cholernym klasztorze.
Komentowałam upomnienia przełożonej, nie zgadzałam się z nimi, denerwowałam się, prowokowałam do narzekań na przełożoną.

Zareagowałam łzami i buntem, kiedy przełożona nie dała zgody, aby moja rodzina mnie odwiedziła.

Siedzę w refektarzu i nie słyszę nic. Przenika mnie smutek i poczucie straty.

Notatki. Przygotowanie do modlitwy do Maryi.
O Maryi myśleć jak o Mamie. Oddać się jej na własność.
Oddanie rozumu: Oddaję Ci, Mamo, wszystkie moje myśli, sądy i cały rozwój intelektualny. Zgadzam się, że poznam tylko tyle, ile Bóg zechce, a nawet na to, że Bóg mi rozum zabierze, jeśli to będzie potrzebne.
Oddanie woli: Pozwalam, byś, Mamo, miała dostęp do mojej woli i mogła mnie zawsze przekonać do tego, czego pragniesz.
Oddanie ciała: Oddaję Ci, Mamo, moje zdrowie, urodę, chorobę, śmierć. Zgadzam się na wszystkie cierpienia, jakie Bogu spodoba się zesłać na mnie.
Oddanie uczuć: Kochana Mamo, oddaję Ci moje uczucia, lęki i obawy. Wszystkie niepotrzebne przywiązania do ludzi i rzeczy.
Oddanie świata: Oddaję Ci, Mamo, wszystkie rzeczy zewnętrzne. Od dziś należą do Ciebie. Racz je wykorzystać dla Bożej chwały.

Czerwiec

Dać wolność siostrom: niech kłaniają się, jak chcą, szeleszczą różańcem. Są wolne w miłości. Niech mnie to nie gorszy. Nic mnie nie powinno gorszyć.

Miałam podejrzenia, że niektóre siostry miały wakacje, a my nie. Podejrzenia te wyrządzają siostrom krzywdę, którą jestem zobowiązana wynagrodzić.

Czasem zadaję sobie pytanie: co ja tu robię? Skoro wszyscy ludzie robią coś innego. Często jednak nie robią nic godnego uwagi, ale tak naprawdę jestem tu po to, by oni mogli robić rzeczy dobre. Muszę być świętą także dlatego, że to jest im potrzebne, mimo wszystko. Muszę tu być, bo jestem Mu potrzebna, choć nie wiem do czego i po co. Czasem wydaje mi się grzechem moja tęsknota za domem. Ale może grzechem jest tylko nieuporządkowanie, a nie samo przywiązanie. Tęsknię za miejscem, gdzie jestem kochana, podziwiana, czekana. To jest właśnie złe. To jest źródłem rozproszeń. Skierować miłość do rodziny na czysty tor. Straci nade mną władzę.

Nie przeprosiłam sióstr za niegrzeczne odezwanie się. Nosiłam się z pewnym żalem, który racjonalnie rozwiany, pozostał jednak i dał swój wyraz niespodziewanie w chwili bólu głowy.

Lipiec

Tak, pracuję, jakoś żyję. Ale to wszystko dziurawe, nie jest mocno, pełno. Chodzi o to, żeby odbudować świątynię Pana.
Z czego robi się świątynię Pana?
1. Z milczenia (mniej o sobie, mniej dyskusji, wymądrzania).
2. Z cichości (nie kłócić się, nie hałasować, nie dochodzić swego).
3. Z dokładności (jutro sprzątanie).
4. Z ascezy (cebula, owoce, ciekawość książek, filmów, świata).
5. Z uwagi na modlitwie (paznokcie, skórki).
Sam Pan wzywa, by budować na gruzach, cóż więc pozostaje?

Zbliżają się pierwsze śluby. Mam wiele wątpliwości. Jutro przyjedzie siostra psycholog. Czy pójść z nią porozmawiać?

NIE

Może trzeba będzie mówić o problemie?

Może poczuje obrzydzenie do mnie za moją słabość i roz-
czulanie się nad sobą?

Może powie mi, że nie mam klasy, że przynoszę wstyd zakonowi, że nie powinnam składać ślubów?

Może stanie przeciwko mnie i potępi?

Może nie będę potrafiła powiedzieć o wszystkim, zacznę
udawać, a ona to zauważy? I zechce poznać prawdę?

TAK

Może Pan ją przysyła, żeby mi pomóc?

Może obiektywnie i racjonalnie dobre jest dać się zbadać
psychologowi?

Może nie będzie przeciwko mnie?

Może pomoże mi w pracy nad sobą?

Początek junioratu, sierpień

Koniec nowicjatu. Złożyłam roczne śluby posłuszeństwa,
ubóstwa i czystości. Co będzie dalej?

Matka traktuje mnie jak swoją własność. Chcę zaakcento-
wać moją wolność. Boję się nowej sytuacji, nie wiem, co
będę robić jutro, i to mnie wykańcza. Zaczynam myśleć, że
nie nadaję się do zakonu.

Czuję złość wobec s. Mistrzyni. To przychodzi tak szybko, że nie potrafię się obronić. Słyszeć wolę Bożą w głosie
przełożonych.

Odczułam przykrość, bo siostry nie rozmawiają ze mną.
Czy to dlatego, że staram się zachować milczenie?

Przyszedł list od rodziny. Otworzyć dopiero w niedzielę.

Mówiłam: dawniej soboty po południu były wolne. Krytyka. Uważać na nią.
Nie zadbałam o ręcznik siostry, jakbym zadbała o swój.

Nie jeść jabłek, orzechów, agrestu.
Pić wodę. Nie jeść słodyczy.
Nie słodzić herbaty.

Notatki z wykładu. Proszenie Maryi o pokorę.
Matko Boża, naucz mnie pokory:
Pokorna prośba, czyli cicha, nieśmiała, ale wciąż ponawiana. A wszystko, choćbym miała do tego prawo, choćbym bardzo potrzebowała, uznam za oczywiste i słuszne, że tego nie otrzymam. Pokornie przyjmę upominanie nawet tych, którzy nie mają prawa tego robić, spokojnie przyjmę wtrącanie się, pouczanie.

Wrzesień

Spojrzenie siostry Mistrzyni odczytałam jako naganę. Zepsuło mi to humor na pół dnia.
Uwaga! Siostra Mistrzyni musi wiedzieć pierwsza, najdokładniej i jak najwięcej.

Dlaczego być zakonnicą?
– Spotkać miłość swego życia i być zawsze razem.
– Robić rzeczy, o których się nie śniło.
– Lepiej rozumieć świat.
– Być szczęśliwą.

Brak ascezy: czytanie gazet. Nie usprawiedliwia mnie, że był to „Gość Niedzielny".

Nie służę siostrze Krystynie, nie podzieliłam się jabłkiem, nie zaproponowałam budyniu.

Brak mi ducha służby: nie chce mi się zmywać, podawać do stołu, myć talerza Mistrzyni.

Zdenerwowałam się bardzo na s. Krystynę za jej lekceważący ton i pouczenie. Zdecydowanie brak mi pokory! Proszę, dziękuję, przepraszam powinno wrócić do mojego słownika.

Łakomstwo: 4 kanapki na kolację, surówka na obiad.

Na plus: powiedziałam, że nie lubię surówki.
Lekceważę siostrę Krystynę – unikam podawania jej zupy.

Moje zeświecczenie:
· oglądanie się za facetami, komentowanie ich,
· ocenianie po wyglądzie, oglądanie gazet ze strojami,
· powtarzanie nowinek i ploteczek,
· interesowanie się sprawami świata,
· wyrażenia z gwary, slogany,
· mowa mało wspominająca o Panu,
· lenistwo i wygodnictwo,
· humory,
· brak wychowania, kultury.

Październik

Rekolekcje
Układa się powoli lista, która odbiera mi chęć do życia i jakąkolwiek zdolność działania: lenistwo, pycha, zazdrość, gniew, egoizm, wygodnictwo, zdrada, niekonsekwencja, gburowatość, mrukliwość, zmienne nastroje.

Brak mi wiary. Trzeba by wielkiej wiary, żeby tak bezczelnie złożyć śluby i zrzucić na Jezusa troskę o to, by z wygodnisia, złodzieja, modnisia zrobić ubogiego, z pyskacza, egoisty i lekkoducha, zapominalskiego zrobić posłusznego, a z panienki kokietki, próżnej pięknisi zrobić czystą.
Dręczą mnie złe myśli przeciwko siostrom. Osądzam je, zakładam, że mnie nie lubią, że życzą mi źle, obgadują, pogardzają, lekceważą, nienawidzą, kopią dołki, działają przeciwko mnie i wykorzystują przewagę.

Powiedziałam postulantkom o wielu rzeczach, które mogły sprawić, że zobaczyły klasztor w przyziemnym, ciemnym świetle.
Szemrałam przeciw przełożonym: Już biskup wiedział, że trzeba podwładnym pozwolić myśleć.

Praca nad emocjami. Nie roztrząsać woli przełożonych, nie wdawać się w wielką dyskusję, polemikę, bo traci się wewnętrzny spokój, ciszę, Boga w sercu, traci się modlitwę.

Rozmawiałam o przyszłości, o kapitule, o zmianach. Typowałam siedzenia i stołki. A nie można.
Byłam zgorszeniem dla mojej kuzynki, nie powiedziałam jej, że tabletki antykoncepcyjne są złe.

Nie chce mi się myć kwiatków.
Nie chcę mi się przynosić odkurzacza i czyścić kanapy.

Czystość oczu: telewizja, radio, gazety
Czystość ust: przekleństwa, wulgaryzmy, niedorzeczności

Listopad

Zjadłam cztery cukierki z torebki i cztery kluski po Krystynie. Smarowałam chleb masłem. Piłam mleko.

Postanowienie nieskubania skórek złamałam więcej razy niż zwykle.

Obgadywałam siostrę Krystynę, bo powiedziałam, że jest zła, kiedy ukroi się za dużo chleba.
Rozmawiałam z profeskami. A nie wolno.

Na plus: posłuszeństwo. Mistrzyni powiedziała: nie jedziesz na cmentarz.
A ja ani słowa komentarza.

Czystość: gazety w kotłowni są mi powodem grzechu, piosenki świeckie, rozpuszczone włosy, obcisłe swetry, rozmarzenia.

Dlaczego poszłam do zakonu?
Mam 22 lata. Niewiele wiem o świecie. Nie umiem znieść samotności, nienawidzę rozstań i tęsknoty. Nie lubię sama stanowić o sobie i muszę komuś ufać. Potrzebuję nieustannej opieki, troski, czułości, chcę być kochana i kochać co dzień mocniej, aż do bólu. Chcę być całkowicie bezpieczna, chcę mieć dom, prawdziwy dom. Im bardziej sama, tym bardziej z Nim.

Rekolekcje: przed Świętami Szatan będzie chciał wbić szpilę, pokłócić was, pokazać wam swoje wzajemne wady. Trwać w posłuszeństwie to może być sposób na niego. Próbuj, nie zniechęcaj się, nie siedem, a siedemdziesiąt siedem razy próbuj.

Nie przyklęknęłam po powrocie do domu.
Kopnęłam butelki i przeklęłam dwa razy. Byłam zła.
Nie przestrzegałam milczenia w pracy i w sobotę. Rozmowa o obowiązkach przemieniła się w luźną pogawędkę.
Obrałyśmy bez pozwolenia drugie wiadro ziemniaków.
Powrót do cebuli.

Kłóciłam się z s. Mistrzynią, wywołałam dyskusję, której nikt nie chciał. Zarzuciłam jej: uprzedzenia, ironię, teoretyzm, prześladowanie mnie, niesprawiedliwość. W szale gniewu przeklinałam po cichu i rzucałam przedmiotami.

Nie myję Matce talerza, nie chcę oskarżeń, że się jej podlizuję, boję się też Matki. Czy nikt nie mógłby ustalić jasnej zasady, że Matka, tak jak każda siostra, ma myć swój talerz? Zawsze ktoś chce umyć, Matka odmawia. Ależ nie, proszę Matki, mogę usłużyć – wypada ponalegać. To jak w końcu ma być?

Grudzień

Myślałam, że po ślubach będę bliżej Boga. Zbyt wiele wagi do nich przywiązałam. Tak na nie czekałam, a czuję, że jestem od Niego dalej niż przedtem. Nie widzę w moim życiu dobra. Jeśli nie czynię dobra, to nikt nie może mnie kochać. Czy Bóg może nie chcieć się mną posługiwać, aby czynić dobro?

Kiedyś tak trudno mi było sobie czegokolwiek odmówić. Uwielbiałam jabłka. A teraz leżą w misce, a ja nie czuję nic. Powinnam się cieszyć. Pilnowałam, żeby się umartwiać, wykorzenić wszystkie przyjemności. Gazety i książki stały mi się obojętne. Wszystko stało mi się obojętne. Gdzie jesteś, Panie? Czy nie było Ci to miłe?

Ułożyłam sobie wszystko, co i jak mam powiedzieć Siostrze. Stanęłam przed Siostrą w wielkiej bojaźni i z drżeniem. Nie pomogła mi Siostra. Usłyszałam rzeczy stare: potrzebujesz ludzi, zwróć się do kogoś. Stoczyłaś się, popuściłaś sobie, nic ci się nie chce. Zajmij się czymś poważnym, to ci przejdzie.

Żyję w wielkiej ciszy. Z nikim nie rozmawiam. Nikt do mnie nic nie mówi. Żyję osobno. To byłoby dobre, gdyby był Bóg. Ale Jego nie ma.

Nie widzę wokół siebie ani jednej życzliwej twarzy. Wszyscy są twardzi – żądają, wymagają, oceniają, sądzą, badają. Czuję się głupia. Nikt mi nie wierzy. Kiedy mówię, że jest mi przykro, bo siostra powiedziała coś nieprzyjemnego, słyszę: to twój problem.

Nie mam odwagi nic zrobić. Gdyby nie posłuszeństwo – może też oparte na lęku – chyba nic bym nie robiła. Wokół taka cisza, ale burza wisi w powietrzu. We mnie uderzy grom, czy będę stać, czy uciekać. Nie mam dokąd pójść. Nie mam do kogo zadzwonić. Napisać. Zagadać. Tylko siostra Olga nie bała się mojego smutku, nie bała się mnie. Ale nie dopuszczono jej do ślubów. Nie ma jej już.

Słabnie moje poczucie humoru. Uśmiecham się półgębkiem ze strachu, nie zaprzeczam, nie dociekam. Często nie rozumiem, o co chodzi, ale boję się przyznać. Uśmiecham się i potakuję. Nie pragnę wyłącznej przyjaźni, tylko wspólnoty, o której tyle się tu mówi, a której wcale nie ma.

Matka – powinna mieć uśmiechniętą, zadowoloną i ofiarną siostrę, gotową na każde skinienie, chętną do posłuszeństwa. To jej prawo. Czy mogę przychodzić do niej i jęczeć o swojej samotności? Czy mogę mówić o sobie, kiedy słyszę, jak boli ją głowa, jak jest niewyspana, jak mało ma czasu?

Siostra Mistrzyni – kiedy się za nią modlę, nie czuję nienawiści, strachu, niechęci. Zupełny pokój. A jednak lęk przed nią mnie paraliżuje. Ma nade mną przewagę. Boję się tego też w sensie duchowym. Jest Mistrzynią, więc „popiera" ją Bóg. Wystąpi przeciwko mnie, jeśli się jej sprzeciwię. Mówię gwarą młodzieżową, której nie lubi. Jeśli ja coś powiem – nieważne, nieprawda. Jeśli jakaś inna siostra powie

to samo – o! to już godne uwagi. Jeśli powie to ksiądz albo napiszą w książkach, to już absolut!
Jej słowa „Nigdy nie będziesz Tereską" bolą mnie do dziś. Wstydzę się przyjaźni ze św. Tereską.

Co mnie tu trzyma? Czy gdybym odeszła, miałabym gdzie pójść? Nie. Nie ma takiego miejsca na ziemi.

W kaplicy jestem cztery godziny dziennie. Modlitwa jest dla mnie torturą. Po południu ogarnia mnie senność, bardzo nieprzyjemna, jeśli jest silna. Mam dreszcze, marzę, żeby wyjść z kaplicy na świeże powietrze. Wtedy odżywam. Tam umieram. Nie lubię się modlić. Skubię skórki. Ręce mnie pieką i są całe w ranach. Gdy nie mogę skubać, mam dreszcze. Denerwuję się. Wystukuję rytm nogą, przeciągam się. Boli mnie żołądek. Czuję, że Pan Jezus rozmawia z innymi siostrami, one Mu się podobają, a ja nie. Przeżywam to w każdej sekundzie.

Czuję smutek, rozpacz, strach, samotność. Mrok, cisza, beznadzieja. Nie ma stąd wyjścia.

Jestem nikim. Jestem do pomocy. Każdy może mi rozkazywać. Lubię przebywać z postulantkami, bo tylko one mnie szanują.
Nie mówię nic, bo nie jest ważne, co mówię. Nie warto nic mówić.

Na widok Mistrzyni zaczęło mi braknąć tchu i ściskać w gardle ze strachu.

Niechętnie całuję krzyżyk, habit, zapominam o tym. Marzę o ucieczce.

Nie mam powołania.

*

Tu zapiski się urywają. Co dzieje się dalej?

Siostra Dorota czuje się coraz gorzej. Myśli, że światu byłoby lepiej bez niej. Kiedy siedzi na dachu i patrzy w dół, czuje ulgę. Koniec jest na wyciągnięcie ręki, na jeden skok. Schodzi jednak z dachu, bo w jej świadomości jakaś resztka dawnej siebie mówi, że coś jest nie tak, że nie tak powinno być. Niech ktoś mądrzejszy odgadnie, w czym tkwi problem, i to naprawi. Rozmawia z Matką. Siostry wysyłają ją do szpitala psychiatrycznego.

W szpitalu Dorota opowiada pani psycholog o tym, co się z nią dzieje. Bardzo chce być szczera, ale musi też uważać, żeby nie powiedzieć nic złego na zgromadzenie. Chce być lojalna wobec sióstr, bo to jej rodzina, a przecież nikt nie pluje na swoją rodzinę.

Pani psycholog pyta, czemu wybrała ten zakon, a nie inny. Dorota mówi, że zobaczyła w książce zdjęcie roześmianej siostry, spodobał jej się krój habitu. – To była taka książka o zakonach – tłumaczy dalej. – Już wiedziałam, że mam powołanie... Pani psycholog nie patrzy na nią, tylko pisze coś w swoich papierach. Dorota czuje, że tamta nic nie rozumie. A przecież chodzi o to, że to nie był do końca jej wybór, bo to Bóg decyduje: ten klasztor czy inny. Nie spotkała dotąd nikogo, kto by zgłębiał, czym dany zakon się zajmuje lub jaką ma historię. Najczęściej po prostu idziesz do tych sióstr, które polubiłaś na rekolekcjach albo które znasz, bo mieszkają po sąsiedzku. Decyduje przypadek, w którym widzisz Boga.

Dostaje leki antydepresyjne. Choć nie ma siły, żeby wstać z łóżka, przerasta ją najdrobniejsza nawet decyzja, a swoją przyszłość widzi w czarnych barwach, w szpitalu depresji nie stwierdzają. Lekarka wpisuje w kartę: nerwica i osobowość niedojrzała. Radzi wystąpienie z zakonu. Nie! To jest ostatnia rzecz, która trzyma Dorotę przy życiu. Że wróci do zakonu i że wszystko się naprawi. Jest przecież gotowa ciężko nad tym pracować. Tylko niech ktoś jej pomoże.

Mistrzyni odwiedza ją w szpitalu.

– Wobec powyższego – mówi – rada zdecydowała o wydaleniu cię ze zgromadzenia. Możesz doczekać końca ślubów. Ale najlepiej by było, żebyś wyjechała do innego domu.

– Ale może siostra psycholog coś pomoże? Może terapia? Zrobię wszystko...

– Decyzja została podjęta. Wola Boża, siostro.

Dorota wraca do klasztoru po swoje rzeczy. Krystyna, z którą cztery lata mieszkała w jednym pokoju i dzielił je tylko parawan, teraz unika jej wzroku. Lidka, która ściskała ją z okazji niedzieli, teraz na powitanie mówi tylko „Szczęść Boże", nie przerywając obierania ziemniaków.

W marcu Dorota zapisuje jeszcze w swoim pamiętniku:

Siostry mnie unikają. Nie mam z kim porozmawiać. Jesteś na wylocie, jesteś jak trędowata.

Boję się powrotu choroby, boję się modlitwy. Boję się nie spać, boję się milczeć, boję się narazić wspólnocie.

Zachowałam dwie tabletki hydroksyzyny, chcę ich nazbierać dużo.

Wyjeżdża do innego domu. Wreszcie ma z kim porozmawiać. Zaprzyjaźnia się nawet z jedną siostrą. Jedzie na pielgrzymkę do Medziugorie. Jest lepiej. Ale nie ma co przeciągać. Dorota odwiesza habit do szafy, zakłada cywilne ciuchy i jedzie do domu na wieś.

Ostatni zapisek w pamiętniku:

Sierpień

Przyszła mi myśl, kiedy byłam bardzo senna, że moje życie będzie przegrane. Jednak na ogół myślę, że jakoś to będzie, że dam sobie radę.

Naucz się ukrywać swoje przeżycia. Jest to niełatwa cnota i wielka sztuka umieć panować nad sobą, by nie dać odczuć otoczeniu ciężaru swoich nędz.

Przełożona zastępuje ci Chrystusa. Należy się więc jej posłuszeństwo – chętne i zupełne. Ponadto ma ona również udział w mądrości Chrystusa. A zatem należy się jej bezdyskusyjne zaufanie. Uczestniczy też ona w ojcostwie Chrystusa. Dlatego masz ją darzyć dziecięcą miłością.

Oto, czym masz być: cała dla wszystkich. Masz żyć w swojej rodzinie, czyniąc dobrze – oto twoje zadanie. Lecz masz cała dawać się wszystkim w sposób uprzejmy, masz czynić dobrze w sposób ujmujący.

PELLEGRINO CECCARELLI, *Savoir-vivre siostry zakonnej*,
Wydawnictwo OO. Karmelitów Bosych, Kraków 1985

SIOSTRA JUSTYNA

– Czy na pewno będzie anonimowo? – pyta. Od odejścia z zakonu minął ledwie rok. Wciąż pracuje u sióstr, w ośrodku wychowawczym dla młodzieży. Na ekranie telefonu ma wielki różaniec jako wygaszacz. Wydaje mi się taka delikatna i bezbronna, że chcę ją ochronić. Kiedy upewniam ją, że tak, pokazuje zdjęcia.

Na pierwszym grzeczna uczennica w czarnej spódnicy i białej bluzce, siostra Justyna – postulantka. Cała wieś się cieszyła, że idzie do zakonu, bo w parafii nie było żadnych powołań od dziewięćdziesięciu lat. Przerwała studia na drugim roku pedagogiki. W zakonie już nie mogła ich dokończyć. Dwa lata nowicjatu to ścisła klauzura, jedyne wyjście z Mistrzynią do lekarza. Na tyle nie chcieli dać dziekanki. Przepadło.

Nowicjat to czas, który ma być w pełni poświęcony Bogu. Siostry nigdzie nie wychodzą, nie ma komórek, internetu, telewizji. Modlą się i pracują za murami klasztoru. Ale jeszcze nie zostały przycięte pod linijkę, jeszcze mają trochę fantazji. Raz po kryjomu zamówiły pizzę. Była już cisza nocna, brama zamknięta, więc jedna siostra wisiała za oknem, a pozostałe trzymały ją za nogi. Innym razem przemyciły do pokoju paczkę chipsów, na stole świeczka, że niby się modlą. Nakryła je Mistrzyni. Chipsy zdążyły zjeść, ale zapachu nie dało się wywietrzyć. Kiedy więc dostały butelkę domowego wina od siostry profeski, ukryły się już dużo lepiej, w kotłowni.

Na drugim zdjęciu ma na sobie szary habit. Wygląda tak poważnie, jest już juniorystką. Złożyła śluby. Pierwsze są na rok, ale Mistrzyni powtarzała, żeby traktować je jak na całe życie. Na kolejnym zdjęciu rękami zasłania twarz, bo poprawia welon. To pierwsze dni w stroju zakonnym. Trudno się przyzwyczaić. Welon zasłania uszy, cały czas słychać szum. Materiał szeleści. Gorąco. Starsze zakonnice śmieją się, że sztywno chodzi i potyka się o habit. I dają instrukcje: skarpetki szare, pod kolor stroju. Nie białe ani nie czarne! Bez skarpetek? Nie do pomyślenia, siostra musi mieć zakryte nogi, nawet w sandałach. Tylko torba przez ramię, też szara. Plecak? Wykluczone. Papiery, ciężkie książki? Nieś swój krzyż.

Instrukcje dają siostry Imelda, Stella i Hiacynta. Strofują młodsze siostry, że za głośno mówią i za dużo się śmieją. Zwłaszcza w nieodpowiednich miejscach, czyli przed kościołem. Albo w trakcie różańca. Do tego Hiacynta łatwo się denerwuje. Jest w klasztorze kucharką. Lubi, żeby każda łyżka leżała pod odpowiednim kątem i w odpowiednim miejscu. Kiedy Justyna ma dyżur w kuchni, stara się nie wchodzić jej w drogę. Ale się nie da. – Głęboki talerz! – krzyczy Hiacynta. Jest. – Długi nóż! Proszę. – Półmisek z czerwonymi kwiatkami! Stoi. – Mówiłam, że z zielonymi! – I łup półmiskiem, Hiacynta rzuca nim w swoją pomocnicę. Na szczęście Justyna łapie półmisek. Byłoby jeszcze, że rozbiła. Stawia go na blacie i trzaska drzwiami. Biegnie Hiacynta: – Ty pyskata gówniaro!

No, ale jest i siostra Joachima. Kiedy te młodsze wróciły do klasztoru z rekolekcji, powitała je ciepło: – Oj, dzieci, dobrze, że jesteście, tak cicho bez was było! To podniosło Justynę na duchu, że nie trzeba cały czas być posępną. Bo już nachodziły ją myśli, że jest nieokrzesana i nie nadaje się do zakonu.

Ani Joachimy, ani Hiacynty nie ma na zdjęciach. Jest za to Matka. Srebrne loki, dobroduszny uśmiech, wygląda jak anioł.

Taka przełożona na pewno przytula do serca swoje córki. I jeszcze ostatnia fotografia. Justyna z bratem przed kościołem.

Te zdjęcia zrobiono w ostatnim, szóstym roku pobytu w zakonie. Justyna nie ma przydzielonej stałej pracy. Robi to, co akurat jest potrzebne. Raz w zakrystii, raz na furcie. Na furcie, czyli tam, gdzie do klasztoru pukają interesanci. Ktoś musi im otworzyć, zapytać w jakiej sprawie, pójść po przełożoną, odebrać telefon. Na furcie nie zawsze jest coś do roboty, więc Justyna haftuje. W zakonie siedzieć bezczynnie to grzech.

Spotkała się z rodziną. Brat mieszka w Londynie. Po co przyjechał? – zastanawia się Justyna. I znowu ma przed oczami wszystko, o czym chciała zapomnieć. Migawki z przeszłości. Ona i brat. W jednym pokoju. Sami. Drzwi zamknięte. Na łóżku. Albo w łazience. Nie może się wyrwać. Nie może uciec. To trwało przez wiele lat. Nikt nic nie wiedział. Nikt nic nie zauważył. Wyjechać. Zapomnieć. Nie da się zapomnieć. Wszystko wraca w nocy. Kiedy nie śpi i przewraca się z boku na bok. Kiedy budzi się z krzykiem. A brat? Brat ma się dobrze. Ślub, teraz dziecko. Przyjechał pokazać. To chłopiec. Na szczęście – myśli Justyna.

Idzie do spowiednika. Wreszcie szepcze: – Mam trudną przeszłość. Brat mnie molestował. Ksiądz wspiera, dodaje otuchy: – Mogę pomóc duchowo, ale tutaj potrzebny jest psycholog.

Justyna idzie do Matki, tej, która wygląda jak anioł. Na spotkanie z psychologiem musi mieć jej zgodę.

– Wykluczone, siostro. Jaki psycholog? Po co?

– Spowiednik mi zalecił.

– Ale o co chodzi? Siostra chyba za mało się modli.

– To sprawy rodzinne. Proszę pozwolić mi o nich teraz nie mówić.

– Przede mną nie powinna mieć siostra tajemnic.

Justyna więc mówi i czuje, jak musi wyciągać z gardła każde słowo. Jak zmusza się do tego wyznania, żeby zadowolić Matkę.

– Takie rzeczy nie dzieją się bez przyczyny – cedzi Matka. –
A skoro siostrze sakrament spowiedzi nie wystarcza, to chyba
ma siostra udział w tym grzechu...

Matka pozwala na spotkanie z psychologiem, ale tylko na
jedno. Justyna prosi o urszulankę, którą zna z rekolekcji. Siostra
psycholog zaleca terapię. Jak najszybciej. Znowu musi prosić
o zgodę. Matka uważa, że Justyna przynosi hańbę zgromadzeniu. Że rozmawiać o tym swoim grzechu powinna tylko z kapłanem. Bo jakie świadectwo by wystawiła zakonowi, gdyby mówiła o tym z kimś innym. – Jakim grzechu? Gdzie tu jest moja
wina? – płacze Justyna, kiedy widzi ją tylko Chrystus.

Matka na każdym kroku daje jej odczuć, jak wielkim jest
problemem dla zgromadzenia. W końcu niechętnie wyraża zgodę na psychologa. Jeśli to konieczne. Ale musi to być ksiądz.

Terapia nie zatrzymuje osuwania się Justyny w ciemność.
Jest coraz gorzej. Trafia na oddział psychiatryczny. Diagnoza:
depresja.

Matka ukrywa przed resztą sióstr, gdzie jest Justyna. Mówi,
że wyjechała, nikt jej więc nie odwiedza.

Justyna kontaktuje się po kryjomu ze swoimi koleżankami, z którymi kiedyś śmiała się pod kaplicą i jadła chipsy.
Czasem więc przychodzą do niej do szpitala w tajemnicy przed
resztą.

Wraca po dwóch miesiącach. Czuje na sobie spojrzenia
przełożonych. Na pewno Matka powiedziała im o wszystkim.
Spojrzenia wydają na nią wyrok: to jest ta słaba. Ta, która sobie
nie poradzi.

Wytrzymuje trzy tygodnie. Prosi Matkę o zwolnienie ze
ślubów. O tym też nie wolno mówić. Siostra ma po prostu znik-
nąć z życia wspólnoty. Najlepiej, żeby odeszła o świcie, kiedy
wszyscy są w kaplicy. A Matka ogłosi to przy śniadaniu. W refektarzu. Stanie przy pulpicie i powie: Bóg dał, Bóg wziął. Dziś
odeszła od nas siostra taka i taka. Tyle. Żadnych pożegnań. Żadnych rozmów o tym, co się stało. Proszę jeść dalej.

Justyna w przeddzień odejścia wysyła esemesy do sióstr, żeby zdążyć je uścisnąć, zanim zniknie z ich życia. Wszystkie płaczą. Płaczą nawet przełożone. Ale nie Matka. Justyna zostawia habit na furcie i wychodzi. Nie ma pojęcia, co dalej.

Tęskni. Nie widzi swojego życia inaczej niż poświęconego Bogu, w zakonie. Dwa miesiące później rozmawia z przełożonymi, czy może wrócić.

– Siostro, w Konstytucjach zgromadzenia jest zapisane, że gdy u kogoś rozpoznano chorobę psychiczną, nie może być przyjęty ponownie. A u siostry zdiagnozowano przecież depresję. Wola Boża.

Masz razem z siostrami iść we wszystkim za przełożoną.
Ilekroć nie słuchasz jej, nie słuchasz samego Boga.
Wszelka samowola jest obrzydliwa i jest znakiem krnąbrności.

Staraj się zachowywać wszędzie możliwie największy porządek.

Wypada też połykać niesmaczne kąski bez zwracania na siebie
uwagi, a zwłaszcza bez pokazywania sąsiadce tego, co jest –
według ciebie – obrzydzającego na talerzu.

PELLEGRINO CECCARELLI, *Savoir-vivre siostry zakonnej,*
Wydawnictwo OO. Karmelitów Bosych, Kraków 1985

Siostra Iwona

Mówi o jakiejś diecie, o kurze z jednym okiem i o zakonnicy, która miała w domu kaplicę. Wreszcie wszystko składa się w historię. Siostra, która w dużym pokoju trzymała święty sakrament, wyznaczyła Iwonę do powołania nowego zakonu. Wszyscy w zakonie mieli być na diecie owocowo-warzywnej. Iwona poszła szkolić się na przełożoną. I poznała kurę z jednym okiem. Kura jest bardzo ważna.

– Byłam dziewczyną rozrywkową i hersztem bandy. Mówiłam: podpalmy śmietnik, i podpalałyśmy. Ja kierowałam, ale obrywała koleżanka Julka. Umiałam rozkręcić każdą imprezę. W kościele mdlałam, bo było duszno. Jak babcia kazała mi z bratem iść na mszę, to chowaliśmy się w szafie. Rodzice byli niewierzący. Ojciec pływał, mama pracowała, nie miała czasu.

W ósmej klasie poszłam na oazę, koleżanka mnie nakręciła. Grałam na gitarze, było fajnie, ksiądz rozrywkowy. Pismo Święte, muzyka, wyjazdy na wieś.

Na czwartej pielgrzymce do Częstochowy poznałam taką starszą siostrę. Jak ona się nazywała? Sprawdzę w internecie, kurczę, komórka mi siada. Jest! Ja nie wiem, czy mogę do tekstu tak podać jej imię. Niech będzie Kazimiera.

Miała charyzmę, mówiła o aborcji, mordowaniu płodów, pisała książki. W dużym pokoju miała kaplicę i najświętszy sakrament, podobno legalnie. Msze się w jej mieszkaniu odbywały. Poznałam tam kilka dziewczyn. Razem jeździłyśmy po parafiach książki Kazimiery sprzedawać za Bóg zapłać. Pieniądze do puszki. Książki szły jak woda.

Kazimiera miała dziwny habit, chyba sztukowany, na pielgrzymkach dostała gdzieś welon, gdzie indziej sukienkę. Czasem mówiła: – Ale wy nie wiecie, co ja mam pod habitem, może czerwoną bieliznę. Ja w to wierzyłam. Choć nie wiem, bo getry wełniane nosiła. Była trochę inna, jak z kosmosu. Różne rzeczy o niej mówili – że uśmiech ma jak szatan, że ludzi bałamuci. Księża nie traktowali jej poważnie. Ale dla mnie to była wielka przygoda.

Kazimiera wiedziała, że jestem nią zafascynowana. Wpadła na pomysł utworzenia nowego zakonu. Będziemy bronić życia poczętego! Nakręciliśmy się.

Znała księdza, który miał ośrodek nad morzem. Był plan pojechać tam na rekolekcje, żeby budować zakon. Oprócz tego miałyśmy być na diecie warzywnej. Kazimiera miała koleżankę od zdrowego żywienia, panią doktor, która też miała prelekcje w kościołach. Woziła ze sobą takie małe książki, które też sprzedawałyśmy. Słyszałam ją ostatnio w Radiu Maryja. O, tutaj jest o niej w internecie. Dieta warzywno-owocowa. Miałyśmy być cały czas na tej diecie.

Nas było jakieś piętnaście dziewczyn. Głodowałyśmy. Nie było mięsa, rosołu, żadnego tłuszczu. Wszystko na wodzie. Tylko warzywa. Ciągle chciało nam się jeść. Miałyśmy wykłady o surówkach w ramach filozofii oczyszczania. Najgorszy był pierwszy tydzień. Jakie my rozwolnienie miałyśmy! Straszne! Wszystko z nas schodziło. Nie było węglowodanów i cukrów. „Cukier – biała śmierć!" – to zapamiętałam. Czy teraz słodzę? Broń Boże. Choć ciastko czasem zjem. I nie solę.

Raz znalazłyśmy mąkę i po kryjomu z mąki i wody kluski robiłyśmy, i na wrzątek. Jajek nie było. Wyczaiłyśmy piwnicę. Znalazłyśmy wór suszonych bananów. Jak myśmy żarły te banany! Garściami!

To były nieformalne zaczątki zakonu. Pojechałyśmy tam na półtora miesiąca wakacji. Przyjeżdżał do nas ksiądz od salezjanów na rekolekcje. On też był na tej diecie. Niektóre dziewczyny nie wytrzymały. Część nie dotrwała nawet do momentu, aż można było zacząć jeść zboża.

Strasznie schudłam. Pojechałam do domu i rzuciłam się na jedzenie. Tak się napchałam, że zrobiły mi się rozstępy.

Kazimiera twierdziła, że się oczyszczamy. Że dla Boga – i ciało, i dusza. Wtedy brałam to na poważnie. Byłam gotowa z urwiska skoczyć dla Jezusa. Tak mnie ciągnęło, jakbym była zakochana. Wreszcie tylko ja zostałam, inne odpadły. Siostra mi zaufała. Że będę z nią budować nową wspólnotę. Chciała, żebym poszła do franciszkanek. Miałam się tam formować, wyjść i pomóc jej tworzyć zakon. Bardzo szybko wszystko załatwiła i przyjęły mnie już od września.

Do domu przyszedł proboszcz na wywiad środowiskowy. Zapytał, czy rodzice się zgadzają.

Mama: I tak wrócisz.

Tata: I tak wrócisz.

A ja: W życiu nie wrócę! To wy musicie wziąć się w garść, do kościoła chodzić.

Zostało jeszcze trochę wakacji. Zakochał się we mnie chłopak, którego poznałam, jak sprzedawałam książki pod kościołem. Był w nowicjacie u salezjanów. Grał na gitarze, ale tak seplenił, że nie mogłam tego zdzierżyć. Ja już nie myślałam o chłopakach. Zresztą miał trądzik, okulary, był niższy i jeszcze seplenił. A on listy do mnie pisał. Był gotowy rzucić zakon. Przez niego poznałam fajnego księdza. Od rana siedziałam na plebanii, nocami też, świetnie nam się rozmawiało o wszystkim. Pierwszy raz w życiu spotkałam takiego mężczyznę. Opowiadał mi, jaki był wyścig szczurów w seminarium. Coś zaiskrzyło. Zastanawiałam się, czy ja naprawdę chcę iść do zakonu. Bo z jednej strony nie, a z drugiej obiecałam Kazimierze. Miałam misję do spełnienia.

Zaraz ci go pokażę na zdjęciu. Zobacz. Zaczął mnie bałamucić. Mówił: – A wiesz, że jak pójdziesz, to nie będziemy się już widzieć? A było naprawdę fajnie. W końcu pocałował mnie na pożegnanie.

Było romantycznie, ale dwa dni później poszłam do zakonu. Ciągnęło mnie tam jak magnes. Nic innego nie było ważne. Mój ksiądz jeszcze pisał listy. Dostawałam je otwarte. Odpisywałam i dawałam siostrom do wysłania. Ale nie wiem, czy to robiły. Potem moja Mistrzyni, siostra Patrycja, powiedziała, że mam zerwać tę znajomość. I od tamtej pory nie dostałam już żadnego listu. Myślałam o nim, ale niewiele, bo miałam naprawdę nawał pracy.

Piąta trzydzieści pobudka, o szóstej w kaplicy, jutrznia, msza, śniadanie. Po śniadaniu znów kaplica, modlitwa, medytacja. Potem praca – kuchnia, magiel, świnie, kurnik, obiad. Po obiedzie rekreacja. Już byłam zmęczona. To mało powiedziane, ja padałam i od razu zasypiałam. Na początku mi pozwalały. Potem koronka, znowu obowiązki albo trochę nauki, nieszpory, msza, kolacja, kompleta. O dwudziestej pierwszej jeszcze apel jasnogórski.

Byłam wykończona. Nagle tak strasznie dużo pracy. Czy ja się nadaję? Dziewczyny szybko się wykruszały.

Najgorsze były piwnice. Był tam długi korytarz, który ciągnął się w nieskończoność. Terakota w kolorze ceglanym, strasznie porowata. Szrubrem musiałyśmy kafle szorować. Przychodziła siostra Patrycja i pokrzykiwała: – Mocniej! Mocniej szoruj! I ja tę szczotę ryżową dociskałam z całych sił. Potem polewałam wodą i ściągałam gumką do mycia szyb. Znowu słyszałam: – Mocniej dociskaj! Mocniej! – żeby zebrać całą tę wodę. Potem szmatami do sucha. I tak dzień w dzień trzeba było czyścić.

W kuchni piece do szorowania. Na węgiel i drewno. Zaraz po obiedzie trzeba je było umyć. Jeszcze parzyły, ale nie, nie można było poczekać dwóch godzin, aż będą chłodniejsze. Wodą się polało, woda parowała, nic nie było widać. Dwa piece i jedna kuchenka. To był taki syf, że tego się nie dało wyszorować. Już nie mówię o paznokciach.

Albo mycie toalety. Miałam pokazać Patrycji, czy dobrze umyłam. Był błysk. Przychodzi Patrycja. Brudna. No jak można umyć toaletę? Szoruję najpierw starą drewnianą szczotką ze świńskim włosiem, innej nie było. Potem gąbką, rękawiczek nie miały. Źle myjesz. A jak się myje? Spod szkaplerza z kieszonki wyciąga korek do dezodorantu. – Wiesz, co to jest? – pyta. Patrzę na nią jak na idiotkę. – To jest koreczek. Włóż ten koreczek tu, do nogi klozetu, i całą wodę wybierz, aż będzie pusto co do kropli. Potem płyn wlejesz. Weźmiesz gąbeczkę do ręki i do środka włożysz. I w środku całą muszlę wyczyścisz. Gdybym miała dłuższą rękę, to nawet do rury bym sięgnęła. Bez rękawic oczywiście.

Wszędzie miał być błysk. Zlewy do sucha wytarte. Robiłam wszystko. Co siostra Patrycja mówiła, to święte. Myślały, że się sprzeciwię, a mnie zależało, żeby być zakonnicą. To co to jest, rękę do kibla włożyć?

Niestety, siostra Patrycja miała ze mną jakiś problem.

– Ty do magla, kur, świń i zlewek – zawsze pokazywała na mnie. A inne miały posprzątać pokój lekarski, co zajmowało godzinę. Albo: – Ty pójdziesz do kurnika, a my dziś jedziemy na spotkanie z salezjanami. A na spotkaniu grały na gitarze i śpiewały. Nie miałam pretensji, że dostawałam najgorsze prace. Chrapałam, skarżyły się współsiostry, ale byłam wykończona. Może miałam się nauczyć takiej pracy? Żeby tworzyć ten zakon? Może to miało mieć jakiś sens?

Tylko pewne rzeczy mnie irytowały. Cały czas mnie pytano, ale to cały czas: Czy miałam chłopaka? Czy byłam z nim już w łóżku? Mówiłam, że nie i nie, ale nikt mi nie wierzył. Patrycja drążyła. Cały czas. Nie wierzyła. Jak miałam ich przekonać? Bo tam był jeszcze ojciec kapelan. Szorowałam korytarz, a on podchodził od tyłu, łapał mnie za pupę i mówił: – Pokręć się, moja sarenko. I mnie tam poklepywał. W konfesjonale pytał, czy nic sobie nie robię, a ja nie wiedziałam, o co chodzi. Teraz wejdziesz w internet i wiesz wszystko o rozmnażaniu. A wtedy nie miałam o tym pojęcia.

Ale najczęściej spowiedź była w pokoju. Sam na sam z ojcem. On przy stole, ja na łóżku. Pokoje małe, ciasno. Dziwne to dla mnie było. I cały czas pytał: Czy ty siebie dotykasz? Czy ty sobie czegoś nie robisz? Niby luźna rozmowa, a niby spowiedź. Nie wiedziałam, co jest w tajemnicy, a co nie, bo on potem mówił wszystko Patrycji. Która jest dziewicą, a która nie. Ja myślałam, że tak ma być. Ufałam im.

Na obłóczyny miałyśmy sobie wybrać imię. Chciałam się nazywać Dominika. Ale siostra Patrycja zabroniła. – Ty będziesz się nazywać Genowefa – powiedziała. Genowefa?? Całe życie mam być teraz Genowefą? To mnie naprawdę wkurzyło.

Była ze mną w postulacie dziewczyna, Kaśka, która miała włosy do kolan. Ja też miałam długie, koka robiłam. Patrycja wezwała mnie kiedyś i mówi: będziesz miała ścięte włosy. A Kaśka też? Nie. To dlaczego ja? Bo tak.

I jeszcze ta czernina. Bo one bardzo dobrze gotowały. I żarły. Siostry od pokuty i miłości chrześcijańskiej żarły! Rosół na swojskich kurach. Ciasta, torty, jak post, to też. Żarło się i tyło. Skąd one na to brały? Raz na obiad była czernina. Wiesz, co to jest? Zupa z kaczej krwi.

Nie mogłam przełknąć. Koleżanka też. Ale wszyscy jedli, bo Patrycja patrzyła. Wzięłam pierwszą łyżkę i poczułam, że zaraz zwymiotuję. A Patrycja stanęła nade mną: – Masz zjeść! Zamknęłam oczy i zjadłam. – To teraz będzie dokładka! Wtedy pomyślałam: Chrystus by tak nie zrobił. To jest na złość. Zapaliła mi się lampka. Coś było nie w porządku.

Robiły rewizje w pokoju. Nas nie było i trzepanie. Jak przyszła paczka z domu, to zabierały. Te rzeczy nie są ci potrzebne. A to możesz sobie wziąć. Przyjaźnie zakazane. To znaczy nam nie było wolno, bo starsze siostry mogły. Zakrystianka kumplowała się z katechetką i wszędzie chodziły razem. Jak chciałam się zaprzyjaźnić z taką Sylwią, to nas prześladowały. Siostra Patrycja też jej nie lubiła. Kazała jej harować tak jak mnie. Zazdrościłam Sylwii spokoju. Zawsze chciałam być jak ona: cicha i pokorna. Jak prawdziwa zakonnica. Ale czułam, że jestem zupełnie inna. Żywiołowa, wesoła, otwarta.

Kiedy zaczęłam myśleć o odejściu, starsze siostry zaczęły mnie zniechęcać:

– A po co ty będziesz wracać? Będziesz prać skarpetki mężowi?

– Tutaj piorę księdzu, to wolę mężowi.

Bo ja często w maglu miałam dyżury. Pranie, krochmalenie, maglowanie. Ojciec chciał mieć skarpetki w kancik, więc się przepuszczało przez magiel.

Zaczęła mi się podobać praca w kuchni, bo mogłam wynosić zlewki. Ciężkie, blaszane wiadra, zawsze pełne. Przynajmniej dziesięć kilo. Szło się z nimi do kur. Tam była siostra, która chyba cały czas siedziała w tym kurniku. Zagadywałam ją. Była z tego rocznika, co Patrycja. Po podstawówce przyszła i tak już została. Ona nic nie miała, ojciec pił, bił matkę. Chciała się uczyć. Skończyła w tym kurniku. To one decydują, co będzie – kurnik czy szkoła. Ta siostra była fajna, uczciwa i sympatyczna. I w tym sianie, gnoju, kurzych gównach na całe życie ugrzęzła.

Była tam taka mała kura bez oka. Pytam: czemu ona nie ma tego oka? Bo jej wydziobały. Inne kury tej małej strasznie nie lubiły, cały czas ją przeganiały. Zawsze pióra miała wyskubane. Zaprzyjaźniłam się z tą kurą od razu. Chodziła w tę stronę, gdzie miała oko. Nie do przodu, gdzie dziób, tylko za tym okiem. To mnie zafascynowało. Najlepsze zlewki jej dawałam. Żal mi było tej kury. Wymogłam, że póki będę, to jej nie zabiją. Wydawała mi się taka bliska. Ona chyba wyczaiła, że ją lubię, bo zawsze do mnie biegła. Cieszyła się na mój widok. Codziennie tam przesiadywałam i z nią rozmawiałam. Opowiadałam jej o wszystkim. O Patrycji, ojcu od sarenek i o tym, że chyba nie stanę się zakonnicą. Miałam przyjaciela, jednooką kurkę. To była jedna z niewielu ludzkich istot w tym zakonie.

Powołanie musi być pielęgnowane przez dobro. W zakonie tego nie było. Poszłam porozmawiać z prowincjalną. Mówiłam o Patrycji i o tym, co mi się nie podoba. Nie było jeszcze słowa mobbing. Gdyby było, to może mogłabym się jakoś bronić? Może zostałabym potraktowana poważniej? Ale nie wiem, bo prowincjałka przyjaźniła się z Patrycją i wzięła jej stronę. Powiedziała, że kłamię. Tego już było za wiele. Wiedziałam, że Teresa i Faustyna też były gnębione, ale ja nie czułam się wyróżniona. Chciałam mieć wizje, jak każda zakonnica, chciałam, żeby Bóg przyszedł. Ale nie przyszedł.

– Siostra będzie się przed Bogiem tłumaczyła za moje powołanie – powiedziałam Patrycji na pożegnanie.

Dały mi na bilet do domu. Poszłam do siostry Kazimiery. Była zawiedziona: – Nie, Iwonko, miałaś tam krakać, jak i one. Być posłuszna. Za wcześnie wystąpiłaś. Wróciłam do rodziców. Czułam się jak wypuszczona z klatki, obco, strasznie. Tęskniłam za moją kurką. Raz mi się przyśniło, że te, które ją dziobały, poszły na rosół, a ona w spokoju doczekała kurzej starości. Ale myślę, że ją też zjedli.

Prawda, że wobec Boga wszyscy jesteśmy równi, lecz na ziemi istnieje pewna hierarchia, której musimy przestrzegać.

Byłoby dowodem niezwykłej krnąbrności i brakiem najbardziej elementarnej miłości, gdybyś odmówiła przełożonej należnych oznak uszanowania z powodu otrzymanej nagany, uznanej przez ciebie za niesłuszną.

Klęcz prosto, aby w ten sposób ułatwić sobie skupienie oraz poprzez zewnętrzną postawę okazać szczerą i pełną uszanowania cześć Temu, przed którym drżą nawet aniołowie.

Pellegrino Ceccarelli, *Savoir-vivre siostry zakonnej,*
Wydawnictwo OO. Karmelitów Bosych, Kraków 1985

SIOSTRA AGNIESZKA

Jest noc, dochodzi pierwsza. Trzy świnie biegają po podwórku. Kwiczą, bo cieszą się, że wyszły na spacer. Siostra Agnieszka maluje wapnem chlewik. Na szczęście coś widać, noc jest jasna, dwie żarówki u sufitu dają trochę światła. Razem z nią pędzlami przejeżdżają po ścianie siostra Szymona i siostra Maksymiliana. Połowa już pobielona, więc jeszcze godzina, dwie i skończą. Pracę rano odbierze przełożona.

Wróciły jak zwykle od chorych. Dziś zeszło im wyjątkowo długo – jedna starsza pani zasłabła, poprosiła, żeby poczekać z nią na karetkę. Później były w hospicjum. Potem zmieniały opatrunki bezdomnym. W rezultacie opuściły popołudniowe obowiązki, nieszpory, kolację i kompletę. Znowu były razem, a więc postąpiły wbrew wspólnocie, pielęgnując przyjaźń partykularną. Skoro zaniedbały swoje obowiązki wobec zgromadzenia, będą je musiały odrobić bez względu na porę.

– Siostry się spóźniły. Pójdą więc teraz i odświeżą chlewik – mówi przełożona Anna o godzinie dwudziestej drugiej.

– Byłyśmy u chorych... – próbuje tłumaczyć Maksymiliana.

– Za długo – ucina Anna.

Praca przy chorych? Być może, ale po wszystkich obowiązkach wobec Boga i wspólnoty. Najpierw brewiarz, modlitwa, medytacja, potem sprzątanie, posiłki i rekreacja. Nie chcą się podporządkować? To odmalują po nocy klasztorną bramę albo zamiast rekreacji pomogą przy budowie nowej plebanii.

Agnieszka szybko dostrzegła, że zgromadzeniu nie była miła praca na rzecz potrzebujących. A przecież siostry miały piękny, jasny charyzmat: służyć biednym, pielęgnować chorych, otaczać miłością samotnych i wykluczonych. Kiedy wstępowała, tak pięknie o nim opowiadały. Uwierzyła, bo chciała uwierzyć. Miała wtedy osiemnaście lat.

Potem okazało się, że zakon prowadzi kuchnie dla ubogich, ale posiłki są odpłatne. Siostry pielęgniarki robią chorym zastrzyki, ale rzadko za Bóg zapłać. Służba pątnikom? Tak, ale pokoje w Domu Pielgrzyma kosztują. Przedszkole? Dla tych, których stać na czesne. Tylko siostra Maksymiliana walczyła z wiatrakami. Sama chodziła po dworcach i szukała bezdomnych, żeby ich opatrzyć albo po prostu wesprzeć dobrym słowem. Zaprzyjaźniły się.

– Siostry się pogubiły. Musimy zawalczyć o zgromadzenie – postanowiły. – Pomożemy im wrócić na drogę, którą wskazuje Chrystus.

Zgromadzenie jednak inaczej interpretowało ewangeliczną miłość bliźniego.

– Tego śmierdziela sama sobie opatruj, jak już go przyprowadziłaś – wrzeszczała siostra pielęgniarka na widok bezdomnego, który rozbił sobie głowę pod bramą klasztoru.

– Jeśli jeszcze raz nie weźmiecie pieniędzy za obiady dla biednych, to kto inny będzie je wydawał – syczała przełożona Anna.

Ich determinacja w służeniu cierpiącym burzyła porządek zgromadzenia. Inne siostry, szczególnie młodsze, chciały do nich dołączać. Przełożone tłumaczyły im, że zgromadzenie nie pochwala takiej działalności. Wyłamała się jedna: Szymona. Były już we trójkę.

Z początku przełożonym wydawało się, że wystarczą zwykłe pokuty, żeby zdyscyplinować niepokorne siostry. Wykonywały najcięższe prace – w polu, przy świniach, kurach. Zamiast jeść obiad, klęczały pod krzyżem. Nic jednak nie pomagało. Nawet kiedy spały już po dwie, trzy godziny, nigdy nie odpuściły. Nie zrezygnowały z żadnego chorego.

Miarka się przebrała, kiedy pewnej nocy zadzwonił telefon i umierający prosił, żeby przyszła do niego siostra Agnieszka. Przełożona Anna zagrodziła drzwi. Agnieszka, już ubrana, spytała tylko: – Ważniejszy człowiek czy posłuszeństwo? I wyszła.

Anna poprosiła o pomoc. Zwołano radę zgromadzenia. Radę, jak i wszystkie przełożone, mianowała Matka Generalna. Matkę Generalną natomiast wybierała rada oraz wszystkie przełożone. Na kapitule pojawiały się też nieliczne siostry po ślubach wieczystych – ale musiały być delegowane przez przełożone. Koło się zamykało. Taki system jest w wielu zgromadzeniach. Na co dzień to rada podejmuje najważniejsze decyzje i wskazuje, kto musi opuścić zgromadzenie.

Agnieszka pierwszy raz poczuła, że nie mając żadnej władzy, nie zdoła nic zmienić w zgromadzeniu. I po prostu pozbędą się jej, tak jak ostatnio siostry, która zaszła w ciążę ze spowiednikiem. W myślach przebiegła wszystkie swoje przewiny.

Po pierwsze, uparła się, żeby zrobić maturę. W postulacie siostry nie pozwoliły jej dokończyć liceum. Myślała, że uda się później. Ale Matka Generalna się nie zgodziła. – Szkoła jest ci niepotrzebna – powiedziała. Wówczas Agnieszka po prostu zapisała się do najbliższego liceum. Ale była afera! Matka Generalna mówiła, że to skandal, gdzie pokora, gdzie posłuszeństwo. Przebolały to jakoś, bo Agnieszka podsunęła im argument, że siostra wieczystka, z którą razem miała teraz chodzić do liceum, nie zda matury bez jej pomocy. Wiedziały, że to prawda, więc się zgodziły. Ale liceum to był koniec jej edukacji. Na studia wysyłano tylko te bardziej pokorne.

Po drugie, chodziła w dżinsach po klasztorze, a założyć spodnie wolno było tylko do pracy w chlewie. Co gorsza, w dżinsach chodziła też na wakacjach. I pociągnęła za sobą inne siostry, które też zaczęły zdejmować habit na urlopie. W końcu zgromadzenie musiało zacząć tolerować świeckie ubranie. Kiedy już przełożone nie miały na coś wpływu, zmieniały odpowiedni zapis w konstytucjach. Matka Generalna na pewno jej tego nie zapomniała.

Po trzecie, razem z Maksymilianą prały nocą po kryjomu swój strój zakonny, i do tego w pralce. Habit, zdaniem sióstr, można było prać dwa razy w roku i tylko ręcznie, żeby się nie zniszczył. Nigdy też nie liczyła, ile razy się myła w danym miesiącu, więc mogło się okazać, że więcej, niż miała zgodę. Bo i o pranie, i o mycie trzeba było raz w miesiącu poprosić przełożoną. Wymieniało się hurtowo, ile razy co się upierze, ile razy weźmie się prysznic, a ile razy umyje głowę. I tak samo trzeba było prosić o papier toaletowy, mydło i podpaski. Generalnie zgoda była, ale raz siostra usłyszała: potnij sobie szmaty.

Po czwarte, nigdy nie myła sedesu tak, jak chciała tego przełożona Anna. To znaczy, nie wybierała wody i nie wkładała ręki do rury. Mówiła: „dobrze, dobrze", a potem robiła po swojemu.

Po piąte, piła po kryjomu kawę. Nie tylko dlatego, że ją lubiła. Przy pracy kilkanaście godzin dziennie była to konieczność. Razem z Szymoną i Maksymilianą upychały w kotłowni zgrzewki, które przywoził jej ojciec. Robiły tak od czasu, gdy przełożona podczas rewizji w pokoju znalazła słoiki schowane w tapczanie. Kawa była jakąś obsesją Anny. Powtarzała, że popełniają straszny grzech zaniedbywania swojego ciała.

Po szóste, nie poważała przełożonej. Annie z trudem udało się skończyć podstawówkę. W każdym fragmencie Pisma widziała posłuszeństwo, więc nikt się nie zastanawiał i gdy miał coś odpowiedzieć, mówił: – Siostro, to chyba o posłuszeństwie? – Tak właśnie – kiwała głową z zadowoleniem Anna. Kiedy w refektarzu rozmawiały o ostatnio przeczytanej książce, przełożona złościła się, bo nie miała nic do powiedzenia. Kiedyś miały też spór o kod pocztowy. Anna upierała się, że tak jak u niej na wsi, tak w każdej miejscowości jest tylko jeden kod. Agnieszka tłumaczyła, że w miastach każda dzielnica ma ich kilka. – Kłamiesz – oświadczyła przełożona. – Jako pokutę odmówisz różaniec.

Po siódme wreszcie, Agnieszka komentowała, podważała i wyśmiewała reguły panujące w zakonie. Uważała na przykład, że siostry powinny otrzymywać kieszonkowe, które pozwoliłoby im opłacić swoje wydatki podczas urlopu. A tak, będąc bez grosza, mogły jechać tylko do rodziny, licząc, że tam ktoś je wykarmi. – Jak dorosłe kobiety mogą być dwa tygodnie na garnuszku rodziców? – zżymała się. Gdy u kogoś w domu była bieda, to taka siostra mogła przez całe życie spędzić swój urlop tylko w innym domu zgromadzenia. A ona marzyła, żeby pochodzić po górach.

Więcej grzechów nie pamiętała. Ale właśnie wezwano ją na rozmowę. Było nieprzyjemnie. Rada podjęła decyzję o ich rozdzieleniu. Agnieszka musi zostać w domu generalnym, bo mają obawy, że ze względu na jej niezwykłą krnąbrność nikt sobie z nią gdzie indziej nie poradzi. Maksymilianę wysłano do Włoch, Szymonę do Częstochowy.

Chociaż nie została wyrzucona, kara była dotkliwa, bo została sama. Myśli kotłowały jej się w głowie, nie miała z kim porozmawiać. Czy dobrze robi? Czy powinna tak postępować, wbrew posłuszeństwu? Czy Bóg tego chce?

– Nie trać wiary. Idź swoją drogą – czy to chciał jej powiedzieć, kiedy z Nim rozmawiała? Nie była pewna. Ale kiedy trzymała za rękę ludzi odchodzących na drugą stronę i czuła, że uśmierza ich lęki, wiedziała, że tu właśnie powinna być. Że robi dobrze. Że On tego chce. Nawet jeśli wszyscy wokół wciąż powtarzali: „Siostro, nawróć się", nie traciła wiary.

Od czasu rozdzielenia z Szymoną i Maksymilianą zaczęła jednak czuć się gorzej. Często słabła, drżały jej mięśnie, nie mogła ustać na nogach. W nocy czuła, że się dusi, nie może zaczerpnąć oddechu. Kilka razy spadła z roweru, mdlała. Siostry wysłały ją do lekarza. Można było pójść tylko do jednego, do którego miała zaufanie Matka Generalna. Lekarz do diagnozy używał wahadełka. Ustalił, że Agnieszka ma ogólne zapalenie zatok. Wysłał ją do szpitala, gdzie zrobili punkcję, ale zatoki okazały się czyste. Agnieszka nadal słabła. Żaden inny lekarz nie był akceptowany przez zgromadzenie.

Siostry zaczęły mówić, że jest ciężarem dla zakonu. Nie chciała odchodzić, ale czuła się coraz gorzej. W końcu nie była w stanie nawet chodzić do chorych. Z bólem podjęła decyzję i zakomunikowała zgromadzeniu, że odchodzi i że właśnie zapisała się na studia. Spakowała ciuchy do plecaka, wzięła gitarę i wróciła do domu.

Maksymiliana wystąpiła niedługo później, po osiemnastu latach spędzonych w zakonie. Szymona wystąpiła pół roku temu, po dwudziestu latach. Walczyła do końca. Miała wiarę, że będzie robiła swoje, aż coś się zmieni. – Musimy robić, co każą, a potem czas na nas i pozmieniamy – powtarzała. Ale po dwudziestu latach ten czas nadal nie nadszedł. Anna została Matką Generalną.

Jeśli nawet twoja ewentualna słabość lub choroba nie zostanie właściwie potraktowana, przyjmij i to doświadczenie ze strony Opatrzności, która na pewno potrafi cię odpowiednio wynagrodzić i podtrzymać.

Masz być przykładem dla współsióstr, które od ciebie powinny się uczyć wielkoduszności, nie znającej co to dyskusja.

Nie rozmawiaj z ludźmi postronnymi o sprawach i problemach swego domu. Tym bardziej nie mów im o upadkach i brakach swoich współsióstr. Nie przekazuj na zewnątrz swoich krytycznych uwag odnośnie zarządzeń i zwyczajów obowiązujących we wspólnocie. Przeciwnie, staraj się bronić swego domu i wspólnoty przed każdym, kto ośmieliłby się wobec ciebie źle o nich mówić.

PELLEGRINO CECCARELLI, *Savoir-vivre siostry zakonnej*, Wydawnictwo OO. Karmelitów Bosych, Kraków 1985

Siostra Izabela

W lutym mówi, że spotka się ze mną, ale niechętnie. Niechętnie, bo nie jestem związana z Kościołem, więc zachodzi obawa, że nic nie zrozumiem. Wyznacza spotkanie w marcu. Przekłada. W kwietniu nie odbiera telefonów. W maju myślę: ostatni raz spróbuję. Wysyłam esemes: „Pewnie Pani nie ma czasu i pewnie też przekonania o sensie rozmowy ze mną. Przez ostatnie miesiące dowiedziałam się, że życie zakonne ma wiele cieni. Byłe siostry mówiły o tym, do czego prowadziło absolutne posłuszeństwo. Pomyślałam, że namówię na rozmowę o blaskach i cieniach – czy da mi Pani szansę?".

Izabela przeprasza, że się nie odzywała. Są blaski i cienie, jak w każdej rodzinie. Możemy porozmawiać, ale dopiero po wakacjach, bo ma dużo pracy.

Po wakacjach?! Nie wierzę, że nie znajdzie chwili wcześniej. Odpisuję, że proszę ją tylko o dwie godziny. Wybiera najdalszy możliwy termin. Tym razem nie odwołuje.

Po spotkaniu przesyła wiadomość: „Bardzo miło było panią poznać. Dziękuję za tyle cierpliwości w słuchaniu. Czekam z niecierpliwością na książkę. Życzę powodzenia...".

Izabela na szyi ma krzyżyk, a na ścianie w dużym pokoju ogromny krucyfiks. Kiedy szła do zakonu, rodzice mówili, że nie chcą jej znać, że nie będzie miała dokąd wrócić. Żeby się opamiętała. Ale Izabela była już zbyt blisko Boga, żeby zrezygnować. Szła tam tylko dla Niego. Miała dwadzieścia lat. Znikąd nie uciekała. Kandydaci do małżeństwa byli, tylko czekali na jej znak. Nie szukała miejsca, gdzie mogłaby służyć bliźnim. To znalazłaby wszędzie: była pielęgniarką, skończyła liceum medyczne. Szła, bo coś w sercu cały czas nie dawało jej spokoju. Szła, bo była zakochana w Bogu. I z Nim, Oblubieńcem, chciała spędzić resztę życia.

Ta miłość trwa do dziś. Ale dziś siedzimy pod ogromnym krucyfiksem i Izabela mówi: – To był rozwód.

Co się stało?

W pełnym oddaniu Bogu żyła dziewięć lat. Poszła do sióstr, które mieszkały po sąsiedzku. Zasady zgromadzenia przyjęła jako swoje. Przez cały dzień, tak jak nakazano, zachowywała milczenie. Przyjmowała jako wolę Bożą częste przenosiny z placówki na placówkę, tak jak nakazano, nigdzie się nie zadomowiała. Akceptowała obowiązki, jakie wyznaczały jej przełożone. Robiła zastrzyki chorym, choć wiedziała już, że nie nadaje się na pielęgniarkę. Kiedy ktoś umierał, nie mogła się otrząsnąć przez wiele tygodni. Pomagała w kuchni, choć nienawidziła gotować. Opiekowała się zakrystią, dziękując Bogu za ten obowiązek, bo uwielbiała przebywać w kaplicy.

Wysoko ceniła mistrzynię nowicjatu, która nauczyła ją pracy nad sobą. Wcześniej Izabela nie wiedziała, że charakter da się kształtować. Gdy płakała, mistrzyni mówiła: – Nie rycz teraz, pohamuj się. Gdy zadręczała się błahostkami, słyszała: – To pycha tyle czasu poświęcać rzeczom nieistotnym. Choć Mistrzyni była ostra i nie przebierała w słowach, Izabela czuła się lepiej. Przestała przejmować się drobiazgami i rzadziej płakała. Zhardziała.

Mistrzyni była zdania, że należy żyć uczciwie. Poruszała najtrudniejsze tematy. Bez ogródek mówiła nowicjuszkom: – Musicie sobie wyobrazić, że nigdy nie doznacie przyjemności seksualnej. Jeśli sobie tego teraz nie uświadomicie, to potem pójdziecie za przystojnym mężczyzną. Jeśli nie oddacie tego

Bogu, to możecie od razu wystąpić. Nie wystarczy raz złożyć ofiarę, trzeba ją składać codzienne. Tak samo z macierzyństwem. Musicie sobie uświadomić, że nigdy nie będziecie matkami.

Izabelę coś zakłuło w sercu. Wyobraziła sobie, że nie będzie miała dzieci. Znacznie łatwiej przychodziło jej wyrzeczenie się przyjemności seksualnej niż bycia matką. Ale i to postanowiła oddać Bogu.

Dzięki Mistrzyni odkryła swoje talenty. Miała świetny kontakt z młodzieżą i siostry wysłały ją na studia teologiczne. Ale co najważniejsze, Mistrzyni nauczyła ją mówić, co myśli. I Izabela mówiła.

Kiedy widziała, jak starsze siostry do trzeciej w nocy oglądają telewizję albo słuchają Radia Maryja, pytała: Jak to jest, że wam wolno, a my mamy chodzić spać po komplecie? Kiedy przełożona świętym posłuszeństwem nakazywała jej milczeć w trakcie dnia, a sama z Prowincjalną przystawała na pogaduszki, pytała: Czy *sacrum silentium* nie obowiązuje wszystkich?

Bądź wierny w małych rzeczach, będziesz w wielkich – powiedział Chrystus. Izabela tak samo siebie rozliczała. Rzuciłam talerzem? To po co się modliłam? Plotkowałam? A po co tyle czasu klęczałam w kaplicy?

Zauważała coraz więcej rzeczy, z którymi nie mogła się zgodzić. Gdy zbiła szklankę, musiała klęknąć przed przełożoną i poprosić o pokutę. Nie czuła skruchy, nie widziała w tym sensu, po co więc miała to robić? Znalazła w encyklice Jana Pawła II, że to średniowieczne zwyczaje. Przełożona poczerwieniała:
– Siostra winna jest pokorę i posłuszeństwo!

Na kartce urodzinowej dla Matki Generalnej napisała: „Życzę Matce rozwoju na drodze do świętości". Przełożona podarła kartkę. – Te życzenia obrażają Matkę – oświadczyła. Izabela zapytała:
– Dlaczego? Przecież nie jest święta, święci będziemy w niebie?
– Kimże siostra jest, żeby podważać moje zdanie? – odparła przełożona.

Kimże jestem? – spytała siebie. Pytała też spowiednika. Kapłan mówił, że obrała dobrą drogę. Dostawała też znaki od Boga. Miała poprowadzić rekolekcje dla gimnazjalistów. Weszła do sali, a tam hałas, śmiech. Bała się. Nikt nie zwracał na nią uwagi. Na biurku leżał gwizdek. Wzięła go i gwizdnęła. Spojrzeli na nią zdziwieni. – Będę mówić przez pięć minut – powiedziała. – Jak wam się nie spodoba, to pójdę do domu. I zaczęła opowiadać o swoim doświadczeniu Boga, o tym, że wszędzie czuje Jego obecność. Słuchali w absolutnej ciszy. Następnego dnia przyszła na kolejne zajęcia. Pod salą pusto.

– Gdzie są wszyscy? – spytała idącą korytarzem nauczycielkę.

– W środku. Czekają. Przyszli piętnaście minut przed czasem.

Ksiądz polecił jej, żeby z młodzieżą w kościele odmówiła różaniec i zrobiła drogę krzyżową.

– To nie dla nich. Zrobię adorację, pokażę im kontakt z żywym Bogiem – odparła.

– Co też siostra mówi? Różaniec i droga krzyżowa, zawsze to robię.

– Albo adoracja, albo nic – uparła się.

Ksiądz uległ. Izabela wzięła młodych ludzi do kościoła, najpierw zagrała na gitarze, śpiewali. Mówiła im, jak ona się modli, jak rozmawia z Bogiem. – Spróbujcie sami – zachęcała. Minęła godzina, nie chcieli wyjść z kościoła. Niektórzy płakali. Jeden chłopak podszedł do niej i powiedział, że myślał o samobójstwie, ale teraz te myśli minęły.

Ksiądz był w szoku: – Zawsze przeszkadzali, nigdy nie byli na adoracji. Siostra ich zaczarowała.

Tych znaków było więcej, bo Izabela widziała Chrystusa w każdym potrzebującym. Przystawała przy pijaczkach, którzy ją zaczepiali. W Licheniu spotkała wychudzonego, obdartego chłopaka całego w tatuażach, który na jej widok powiedział, że ma wiarę w dupie. Dała swój telefon, a on dzwonił do niej co dwa dni, żeby powiedzieć, co u niego. Potem razem z nią prowadził rekolekcje dla młodzieży. Tatuaże zostały, ale chłopak nie był już taki chudy.

Najtrudniej było zobaczyć znaki od Boga w samym zgromadzeniu. Przełożona twierdziła, że Izabela ma niedojrzałe sumienie, i planowała to sumienie uformować. Czyli odpytywać z myśli i uczynków, a potem osądzać, co jest dobre, a co złe. Izabela odparła, że takie rozmowy chce prowadzić tylko ze spowiednikiem. Przełożona wysłała ją do psychiatry. Doktor medycyny miała ocenić, czy ta krnąbrność nie wynika czasem z zaburzeń osobowości. Ale nie, psychiatra oświadczyła, że z Izabelą wszystko w porządku.

Zbliżały się śluby wieczyste. Była pewna i zdecydowana, aby ostatecznie, na całe życie, oddać się Bogu. Martwiło ją tylko, że pojawiły się dziwne bóle w rękach i nogach. A konkretnie w dłoniach i stopach. Kłujące, parzące, dotkliwe. Siostry zaczęły gadać, że ma stygmaty. Izabela ze spowiednikiem uznała, że skoro coś boli, to trzeba iść do lekarza. Leżała miesiąc na neurologii, badania nic nie wykazały.

Wróciła do klasztoru. Od razu wezwała ją przełożona:

– Siostra nie zostanie dopuszczona do ślubów wieczystych.

– Dlaczego?

– Ze względu na stan zdrowia.

– Stan zdrowia? Przecież pracuję. Bóle w tym nie przeszkadzają. Zgłosiłam się po pomoc, obowiązki wypełniam.

– Siostra nie ma powołania. Taka jest decyzja zgromadzenia – zakończyła rozmowę przełożona.

Izabela próbowała jeszcze prosić. Tłumaczyła: Leczcie, ale nie wyrzucajcie. Moje bóle mogę ofiarowywać za cierpienia innych. Nie mam objawień. Mam głęboką zażyłość z Panem Jezusem, wiele dowodów Jego obecności w moim życiu.

Nikt jej nie słuchał.

Wyznaczono dzień, w którym miała opuścić zakon.

– Niech siostra pożegna się ze wszystkimi, podziękuje i powie, że przyjmuje wolę Bożą – powiedziała przełożona. – Nie wolno siostrze też z nikim mówić na temat zgromadzenia. To, co się dzieje za murami klasztoru, tutaj pozostaje.

W ostatnim dniu stanęła przed siostrami i powiedziała:

– Nie rozumiem decyzji przełożonych. Moje miejsce jest w zakonie. Ale przyjmuję to jako dopust Boży. Pan Bóg do tego dopuścił. Ale czy jest to Jemu miłe? Czy Jemu to się podoba? Czy to Jego wola? Niech siostry to rozważą we własnym sumieniu.

Wzięła swoje rzeczy i wyszła z klasztoru. Pod bramą czekali rodzice. Poprosiła, żeby stanęli przy kościele. Weszła rozmówić się z Bogiem.

JOANNA I MAGDALENA

Na początku jest radość i wolność. Jadą do rodziny Magdaleny. Na dworcu mama, tata, babcia, wszyscy się cieszą, ściskają, pies szczeka. Matka Magdaleny przepłakała całą noc, kiedy się dowiedziała, że córka idzie do klasztoru. Nieważne, z kim wraca, ważne, że wraca.

Radość przerywa telefon od matki Joanny. I ona wpadła w rozpacz, kiedy córka poszła do zakonu. Teraz wolałaby, żeby tam została. Tak pohańbić rodzinę. Zamawia w jej intencji mszę w Łagiewnikach.

Magdalena ma mieszkanie po dziadku. Wprowadzają się, a skoro są na swoim, to muszą same się utrzymać. Joanna znajduje pracę w aptece. Magdalena pomaga niewidomemu ojcu i studiuje resocjalizację. Na zdjęciach utrwaliły się tylko piękne momenty: z czegoś się śmieją, gdzieś biegną. Pieniędzy mają mało, ale ich to nie martwi. Choć jest im przykro, kiedy muszą sprzedać w antykwariacie *Historię filozofii* Tatarkiewicza. Trzy tomy w granatowych obwolutach.

Mają siebie. Mogą całymi wieczorami rozmawiać. Przez wiele miesięcy ciągle o tym samym.

– Papież nie jest nieomylny, to bzdura – dowodzi Magdalena na spacerze z psem. – Biblia też. Ewangelie powstały wiele lat po Chrystusie. Każdy mógł je napisać.

– A co z wniebowzięciem Maryi? Tego w ogóle nie ma w Piśmie – zastanawia się Joanna, przygotowując kolację.

– Bo to domniemanie. Cały kult maryjny to tylko katolicka tradycja – stwierdza Magdalena przed snem.

Coraz więcej rzeczy podważają i kwestionują. Magdalena nie przebiera w słowach:

– Spowiedź? Padasz na kolana przed księdzem, który ma nad tobą władzę. „Obraziłam Pana Boga!" Wyznajesz mu wstydliwe rzeczy. Czy to nie jest upokarzające?

Zaczyna chodzić do luteran. Tam nie ma ani spowiedzi w konfesjonale, ani kultu maryjnego.

Joanna ma poczucie, że grzeszy. To piękny grzech, ale jednak grzech. Nie chodzi do spowiedzi, bo musiałaby wyznać, że żałuje życia z Magdaleną. A przecież to najlepsze, co ma, czego doświadczyła. Jak to jest, że Kościół głosi miłość, a potem posyła za nią do piekła?

Patrzy, jak ludzie podchodzą do komunii. Jej nie wolno. W aptece pytają: Czemu pani taka smutna? Wydzwania matka. Krzyczy, żeby wracała, do domu, do prawdziwej rodziny. Nawróć się, krzyczy. Jeszcze jest czas.

Kościół mówi: nieś swój krzyż. Kościół mówi: wyłup oko, odetnij rękę, jeśli są ci powodem do grzechu.

Czy Bóg jest miłosierny? Czy bezwzględny i bezduszny? Czy Joanna musi poświęcić kogoś, kogo kocha? Czy inaczej nie ma dla niej miejsca w Kościele?

– Skończ już z odmawianiem brewiarza! Nie słuchaj tych księży – denerwuje się Magdalena. – To ci szkodzi. Nie ma z tego dobrych owoców.

Joanna nie wyobraża sobie rozstania ani z Magdaleną, ani z Kościołem. Czuje, jakby miała kamień młyński uwiązany do szyi. I ten kamień ciąży jej coraz bardziej. Chce nie czuć. Bierze jedną, drugą tabletkę nasenną, a potem całą garść. Trafia do szpitala. Magdalena płacze przy jej łóżku. Lekarz pociesza, że wystarczy płukanie żołądka. Co teraz? – myśli Joanna. Czy da radę zmartwychwstać? Czy Bóg da jej siłę? A może wszystko zależy od niej? Może powinna wziąć na siebie odpowiedzialność za każdy swój krok – przecież ma wybór, ma wolną wolę.

– Magdalena, jak sądzisz, czy człowiek może iść za głosem własnego sumienia, nawet jeśli to wbrew Kościołowi?

– Kościół to tylko dobrze zorganizowana instytucja. Sama odpowiadasz za swoje życie. Wolna wola i sumienie to bzdura! Wszystko po to, by utrzymać „rząd dusz", podporządkować, przymusić, odebrać wolność myślenia.

– Ale zaraz, jak bez sumienia odróżnisz dobro od zła? A Kościół to wspólnota ludzi wierzących w żywego Boga, nie instytucja. Struktura nie jest najważniejsza. Są rzeczy wątpliwe, jak grzech pierworodny. Nie zgadzam się, żeby ponosić odpowiedzialność zbiorową za rzeczy, na które nie miałam wpływu. To sprzeczne z wolną wolą, ale...

– Nie ma czegoś takiego, jak wolna wola! – krzyczy Magdalena.

Znów zaczynają dyskutować. Ta rozmowa potrwa kilka lat.

– Nie wierzę, że Boga można obrazić! To sprowadzanie go do ludzkiej logiki. Bóg nie jest mściwą istotą, czyhającą na ludzkie potknięcie. Bóg jest ponad tym – powie za jakiś czas Joanna.

– Religia nie zostawia żadnej przestrzeni na twoje myśli, decyzje, na twoją wolność. Jeśli masz wątpliwości, zawsze wytłumaczą ci: „Oto wielka tajemnica wiary". Oddajesz mózg wspólnocie parafialnej i dostosowujesz się do listów, kazań, czytań. Mówią ci, w co masz wierzyć, kiedy masz się smucić, a kiedy cieszyć. To jest tak uproszczone i infantylne, jak kolędy. Nie mam zamiaru dłużej się temu poddawać – powie Magdalena i przestanie chodzić do luteran. Dla niej wiara w Boskie Objawienie była tylko chwilowym zauroczeniem, dla Joanny całym życiem. Dużo czasu upłynie, zanim Joanna zostawi Kościół za sobą, aby samotnie przecierać szlaki wiodące ją do Boga.

*

Jest kwiecień. Mija szesnaście lat od opuszczenia klasztoru. Umawiamy się w bibliotece. Joanna wbiega po schodach, potem w lewo, do czytelni. Między regałami czeka Magdalena. Zaraz skończą pracę. Razem wrócą do domu.

– Biblioteka, nasze przeznaczenie – mówią na powitanie.

Spieszymy się, bo czeka na nie dziesięć kotów i trzy psy. Do domu pół godziny drogi. Mieszkają w małym nadmorskim miasteczku. Pełnym w lecie, pustym w zimie.

Obie skończyły bibliotekoznawstwo, ale w zeszłym roku założyły hostel. Przerobiły poddasze i przeniosły się do budynku gospodarczego. W zimie miały piętnaście stopni, dało się wytrzymać. Inauguracja hostelu była w sierpniu. Jako pierwsi klienci przyszli narodowcy. Czarne kurtki, głowy zgolone na łyso, wielka Polska na koszulkach. Zrobiło im się nieswojo, ale przecież nie będą oszukiwać, że nie ma miejsc. Goście chwalą się, że podpalali warszawską tęczę. One na to, że były na marszu równości. Oni, że to wbrew naturze. One, że chcą wziąć ślub. Po dwóch dniach jeden mówi: Coś jest z nami nie tak, zamiast iść z kolegami do knajpy, siedzimy tutaj i z wami gadamy. Na koniec przyprowadzili szefa miejscowych kiboli. A ten mówi z przekąsem: Bo wy takie „tolerancyjne" jesteście. Powiedziały, że jakby nie były, to jego koledzy nie mieliby gdzie spać. Zatkało go. Pamiętał, jak chodzili pół dnia po miasteczku i nikt nie chciał ich przyjąć na nocleg.

– Nie wpierdolili nam, nie opluli. Ja jednak wierzę w człowieka – stwierdza Magdalena.

Wchodzimy. Teraz nie ma żartów. Zwierzęta są już naprawdę głodne. Magdalena daje jedzenie psom, Joanna kotom. Nałożyć chrupki od razu do dziesięciu misek nie jest łatwo. Koty kłębią się pod jej nogami. Na wszelki wypadek woła wszystkie. Zawsze w tej kolejności, w jakiej pojawiły się w stadzie: – Luter! Herod! Lamia! Mojra! Auteczko! Jokasta! Kreon! Jarmuk! Rudolf! Surmena!

Czasem przez pomyłkę zawoła kota, którego już nie ma. Trzeba uważać, bo robi się smutno. Na ścianie wiszą zdjęcia zwierząt, które odeszły.

Biegną psy, przepychają się przy drzwiach. Kora i Szakal to dwa owczarki niemieckie, sięgają do pasa. Karbon to mieszaniec, trochę mniejszy, czarny jak węgiel. Na spacerze każdy ciągnie w swoją stronę. Magdalena musi mieć sporo siły, żeby je utrzymać na smyczy. A w międzyczasie zdążyć z zawinięciem w gazety sporej wielkości kup. I jeszcze trafić nimi do kosza.

To nie są psy, które będą karnie szły przy nodze. Każdy ma swoją historię. Kora całe życie spędziła na wsi, została oddana, bo zmarła jej właścicielka. Karbona straż wyłowiła ze studzienki kanalizacyjnej. Jest ślepy. Sam do niej wpadł albo ktoś go wepchnął. W schronisku przez trzy lata nikt o niego nie zapytał. Szakal jest stary, chory, nikt go nie chciał. Ludzie nie biorą psów po przejściach. Kiedy przez nieuwagę został sam na podwórku, odżyły wspomnienia z dawnego życia. Piszczał, położył się na ziemi i czołgał pod ścianę. Nie można przewidzieć, co mu strzeli do głowy. Na wszelki wypadek wychodzi w kagańcu.

Magdalena już w lesie z psami, a Joanna sprząta kuwety. Koty są wszędzie. W zlewie Luter, pojawił się w ich życiu w fazie protestanckiej. Jako najstarszy jest panem domu. Na lodówce Herod – prezent dla Joanny na trzydzieste urodziny. Pisała wtedy pracę licencjacką o Franciszku Herodzie, farmaceucie, który w międzywojniu wydawał kalendarze dla aptekarzy. Nie było podręczników, więc kalendarz z recepturami maści, nalewek i syropów był na wagę złota. Za pracę dostała nagrodę na konkursie we Włoszech. Wysoko na szafce Lamia, jest biała, więc imię dostała po blondynce z *Seksmisji*. Uwaga, może spaść, już się tak zdarzyło, że kot wpadł do talerza z zupą, nic mu się nie stało, na szczęście. Obok niej Mojra. Jej imię w mitologii greckiej znaczy tyle, co los, przeznaczenie, którego nigdy do końca nie można być pewnym. Wzięta ze schroniska, w którym pomagała Magdalena. Tam całe dnie kotka siedziała tyłem do wszystkich, bez ruchu, i patrzyła w zasłonięte okno. W domu dopiero po kilku tygodniach zeszła z fotela. Na stole Auteczko, znaleziona na skrzyżowaniu ulic. Była wielkości dłoni, cała zapchlona. Wzięły ją do samochodu, ale kiedy dojechały do domu, zniknęła. Uciekła, gdy stanęły pod sklepem? Zajrzały pod każde siedzenie, wyjęły wszystko z bagażnika. Nie ma. Rano przychodzą, a saszetka z kocim jedzeniem nadgryziona. Auteczko siedziała pod deską rozdzielczą. Na parapecie Kreon i Jokasta – rodzeństwo, pierwsze, które im przyszło do głowy. Kreon jest po porażeniu mózgowym, zatacza się, gdy chodzi, często skądś spada. Kot specjalnej troski. Na krześle Jarmuk, uwielbia głaskanie. Kiedy go znalazły, w Syrii trwały walki o Jarmuk, dzielnicę Damaszku. A kot był tak zaniedbany, jakby wrócił z wojny. Obok Rudolf, jak cesarz Franciszek Rudolf, najmłodszy, urodził się przez cesarskie cięcie. W kącie jeszcze przestraszona Surmena, zgarnięta przed tygodniem z ulicy. Jest biała i nie ma uszu, wygląda trochę jak słowiańska czarownica, po której ma imię.

Po zwierzętach mogą zjeść ludzie. Na obiad zupa z soczewicy, kotlety sojowe i owoce. Joanna i Magdalena są wegankami.

Często biorą udział w żywej bibliotece. To akcja, w której ludzie są książkami. Każdy może przyjść i takiego człowieka na piętnaście minut wypożyczyć, czyli usiąść przy stoliku i porozmawiać. Książki są różne: feministka, uchodźca, matka, która adoptowała dziecko, gej, rodzina muzułmańska. W trakcie żywej biblioteki jest czas, żeby zadać im każde pytanie. Książki siedzą, żeby opowiedzieć o sobie, dać się poznać i – być może – przełamać uprzedzenia.

Joanna zwykle siedzi przy stoliku z karteczką „weganka". Czy to ekskluzywne hobby? – pytają ludzie. Nie, to nie jest snobizm, nie trzeba kupować mleka migdałowego za kilkanaście złotych, można jeść kiszonki. Czy jecie miód? Nie, bo to kradzież. Pszczoły go sobie robią, żeby przetrwać zimę. Robicie zakupy w sklepach? Też, ale chętniej na targu. Najlepiej byłoby mieć własną grządkę. Dlaczego jesteś weganką? Z szacunku do życia.

Magdalena ma karteczkę „ateistka". Przychodzą nastolatki i pytają: czy można się przeciwstawić wierzącej rodzinie? Tak, wolno mieć wątpliwości i o nich mówić. Jeśli człowiek się zastanawia, to znaczy, że ma poważne podejście. A jak pani do tego doszła? Niepokalane poczęcie i nieomylność papieża były sprzeczne ze zdrowym rozsądkiem, dlaczego miałabym w to wierzyć? A kochała pani Boga? Przestałam czuć do niego cokolwiek, nie widziałam nic, co przemawiałoby za jego istnieniem. Czy jest pani dobrym człowiekiem? Nie trzeba wierzyć w Boga, żeby czynić dobro.

Oglądam zdjęcia z żywej biblioteki. I cały plik innych.

Joanna i Magdalena nad niebiesko-żółtą mapą Morza Śródziemnego. W pobliżu włoskiego buta powywracane papierowe stateczki. Na burtach napisy: „S.O.S. Europo!". Rok wcześniej prawdziwy statek z uchodźcami z Afryki zatonął u wybrzeży włoskiej wyspy Lampedusy. Zginęło czterysta osób. Na jednym ze stateczków napis: „Prawa uchodźców prawami człowieka". Można zapalić świeczkę i podpisać się pod listem do europejskich przywódców.

Joanna w tęczowym szaliku, trzyma tabliczkę: „Zawsze i wszędzie, ponad wszystko być sobą". To Manifa, coroczny marsz upominający się o prawa kobiet. Magdalena stoi z tubą i fioletowym balonem. Pewnie skanduje hasło manify: Rów-na pra-ca, rów-na pła-ca!

Na plaży z czarnymi workami. To akcja „Zahacz śmiecia". Sprzątanie plaży Bałtyku po turystach.

Magdalena na tle napisu „Wystawa: Świat bez dyskryminacji". Z mikrofonem, wita gości i zaprasza do zwiedzania. Joanna stoi pod plakatem ze zdjęciem pana z siwą brodą i jego młodego syna. Nad nimi napis: „Mój syn nauczył mnie, jak ważne jest być sobą". I podpis: Władysław, ojciec geja. To akcja społeczna „Rodzice, odważcie się mówić", ze zdjęciami rodziców, którzy mają homoseksualne dzieci.

Joanna za kratami. Trzyma tekturkę: „Zbieram milion listów, by uwolnić Jabeur Mejri". Jabeur Mejri to Tunezyjczyk, który został skazany na siedem lat więzienia, bo na Facebooku zamieścił kilka postów o proroku Mahomecie. To zdjęcie z maratonu pisania listów organizowanego przez Amnesty International. Każdy może napisać odręcznie prośbę do władz Chin, Turcji czy Rosji o uwolnienie więźniów sumienia. Jedna trzecia listów odnosi skutek.

Magdalena tańczy w koszulce „Nie mów córce, w co ma się ubrać. Powiedz synowi, żeby nie gwałcił". Akcja „Nazywam się miliard", każdy może zatańczyć w proteście przeciwko przemocy wobec kobiet.

Postać w pomarańczowym kombinezonie i szarym kapturze na głowie. Joanna przebrana za więźnia z Guantanamo. Stoi na przystanku autobusowym. Potem jedzie dookoła miasta. Ręce skute łańcuchem, w rękach gazeta: *Cała prawda o Guantanamo*. Ludzie biorą i czytają.

Grupka ludzi w kurtkach i czapkach, wokół śnieg. Na rękawach opaski z niebieską gwiazdą Dawida na białym tle. Stoją przy pomniku upamiętniającym dawnych żydowskich mieszkańców miasta. Joanna i Magdalena trzymają tabliczki z napisem: „Tęsknię za Tobą, Żydzie!" – po polsku, niemiecku i angielsku. Inni mają tekturki ze słowami: „Wróć tutaj!". Wierzą, że w ten sposób zachowają Żydów w pamięci miasta. Wierzą, że już nigdy więcej nikt nikogo nie będzie zabijał i wypędzał.

Jeszcze nie jestem nawet w połowie zdjęć. Przede mną stosik z licznych warsztatów i prelekcji. Kątem oka widzę jeszcze festiwal Watchdog i Kongres Kobiet...

– Zostaw już te zdjęcia – dobiega mnie głos Joanny. – Idziemy na patrol wypatrywać fok.

– Fok?

Przed nami dwanaście kilometrów spaceru po piachu. To rejon, który patrolują. Każdy kawałek wybrzeża Bałtyku ma wolontariuszy z niebieskiego patrolu WWF, którzy pilnują, żeby fokom nic się nie stało.

Na plaży jest dziko i pięknie. To jeszcze nie sezon, nie ma tysięcy turystów zajmujących każdy skrawek piasku. Nie ma lunaparku, elektrycznych samochodzików, karuzeli, diabelskich młynów, napompowanych zamków ani piszczących dzieci. Są wille, po których hula wiatr wpadający przez wybite okna. Są domy bez dachu, przykryte folią, rozgrzebane w połowie budowy. Jest spokój.

Po drodze dowiaduję się, na czym polega nasza misja. Najczęściej morze wyrzuca na brzeg martwe foki. Wtedy trzeba zadzwonić po pomoc i zabrać je z plaży. Ale jedna na pięć jest żywa – wychodzi na ląd, żeby odpocząć albo urodzić małe foczątka. Gdyby plaża była bezludna, nic by im nie groziło, ale prędzej czy później pojawią się turyści, którzy fokę zamęczą. Będą podchodzić, będą dotykać. A foka się boi. Chce uciekać do morza, ale nie ma siły, jest wyczerpana.

Wtedy pojawiają się Joanna i Magdalena. Ogradzają fokę taśmą. Rozbijają namiot. Wyjmują termos i kanapki. Strzegą foczego spokoju. Siedzą tak długo, aż wypocznie, zamacha płetwami i wróci do morza. Czasem czuwają dzień i noc. Dlatego trzeba mieć wszystko ze sobą w plecaku. Nigdy nie wiadomo, ile potrwa focze odpoczywanie.

Nie ma fok. Zawracamy. Kiedy dochodzimy do domu, jest już ciemno. Magdalena wchodzi jeszcze do ojca, pomóc mu się położyć. Jej rodzice mieszkają po sąsiedzku.

Matka Joanny nawet nie wie, ile kotów mają.

Nazajutrz sobota. Magdalena zaczyna dzień o piątej rano. Zwleka się z łóżka, wyprowadza psy, karmi koty. Potem przyśnie, ale nie na długo. Jadą do weterynarza z kotami, które niedomagają. Przy okazji pokażą Szakala, cały czas nie chcą mu się wygoić łapy. U weterynarza są kilka razy w tygodniu. Pytają, ile zapłacić, a ten już tylko wzdycha: Dobre słowo. Albo: Dziesięć złotych. Ale leki kosztują i na to muszą mieć pieniądze. Chciałyby założyć hospicjum dla starych kotów i psów. Tych, których nikt nie chce.

Zbierają się do wyjścia. Magdalena zakłada kurtkę. Jak wszystko, co noszą – z lumpeksu.

– Wszystko oprócz majtek i butów – tłumaczy. – Ile rzeczy się wyrzuca! Jesteśmy przeciwne konsumpcyjnemu trybowi życia. A ta kurtka jest narciarska. I bez pierza.

– Bez pierza?

– Nigdy nie kupimy nic, co zdarto z gęsi. Można zobaczyć na youtubie, ile jest krwi, jak to boli te ptaki.

– Mówią o nas: anarcho-ateo-wege-feministki. Teraz już wiesz dlaczego?

W południe jest spotkanie z ludźmi z Amnesty International. Opowiadają, jak przez dwa lata na zlecenie biblioteki prowadziły w więzieniu klub książki. Wielka brama, dowody, przepustki, bramka piszczy, wszystko do depozytu. W świetlicy czeka dziesięciu więźniów. Przyszły rozmawiać z nimi o książkach. Więźniowie chcą czytać reportaże, powieść to strata czasu. Na pierwszy ogień Tochman, *Dzisiaj narysujemy śmierć*. O ludobójstwie w Rwandzie, o tym, jak sąsiad zabijał sąsiada i gwałcił jego żonę, bo jeden był Hutu, a drugi Tutsi. Rozmawiają o wartościach. Skąd się bierze nienawiść? Czy człowieka wolno zabić? A którego? Kiedy? Potem zaczynają mówić o sobie, kto za co siedzi.

Zakładają im konta czytelnicze, zostawiają książki na bramie. Więźniowie chcą czytać. Potem dyskutują o Stasiuku i Tokarczuk. To prawda, dały im nawet Tokarczuk *Prowadź swój pług przez kości umarłych*. Kryminał, w którym giną myśliwi, a zbrodnie wyglądają jak popełnione przez zwierzęta. Była straszna awantura, bo Magdalena powiedziała, co myśli o zabijaniu zwierząt. Że to morderstwo. A na sali więźniowie myśliwi.

Wychowawca mówi, że więźniowie są poruszeni spotkaniami. I że już przeczytali wszystko, bo w ubogiej więziennej bibliotece pustki. Joanna i Magdalena robią zbiórkę książek dla zakładu karnego.

Kiedy z braku czasu musiały zawiesić spotkania, z zakładu karnego przyszedł do biblioteki list. Z pytaniem, kiedy znów do nich przyjdą.

Robi się późno i wracamy do zwierząt. Jedzenie, kuwety, spacer. Rozmawiamy o zmianie świata.

Magdalena: Chrześcijanie wartościują cierpienie – Jezusa było największe. Bóg-człowiek cierpiał, to i zwierzęta mogą cierpieć. Kurczaki mogą być mielone żywcem, a świnie zarzynane godzinami. To nie twoja odpowiedzialność, to plan Boży.

A potem widzisz, jak wiozą świnie do rzeźni. Skwar, chce im się pić, stoją po kolana w odchodach. Zostaje w tobie ten obraz. Liczysz – ile dziennie, ile na świecie. Ile tysięcy. Widzisz skórzane buty, pasek. Już wiesz, skąd to pochodzi. Oglądasz zdjęcia, filmy, jak wygląda chów przemysłowy. Ta informacja cię zmienia. Póki wierzyłam w Boga, nie brałam odpowiedzialności za cierpienie wokół mnie. Kiedy przestałam wierzyć, przestałam jeść mięso. Bo wzięłam odpowiedzialność za swoje czyny. Zarzuciłabym Bogu, że był gorszy od wegetarian.

Nie na wszystko możesz zareagować. Starasz się, ale to za mało. Masz znajomą z Syrii, pokazuje ci: o, tu był mój dom. Pokawałkowani ludzie, kobietę gwałciło kilku mężczyzn, a snajperzy zdejmowali każdego, kto chciał pomóc. Cierpienie. To nie ma końca.

Joanna: To prawda, że dostrzegasz coraz więcej cierpienia, ale uczysz się też, jak mu zapobiegać. Widzisz efekty. Tylu ludzi wyszło na ulicę protestować przeciwko wojnie w Syrii, na całym świecie, w naszym mieście. Byłyśmy tam, organizowałyśmy ten protest, zbierałyśmy pieniądze dla tych, którzy stracili domy.

– Czasem myślę, że moje działania nic nie zmienią. Świat jest pełen przemocy i okrucieństwa.

– Gdzieś rodzi się życie. Istnieje piękno, dobro, na nich trzeba się koncentrować, żeby przeżyć.

– Nawet gdyby świat wokół mnie był cudowny, ale byłoby gdzieś smutne dziecko, bite zwierzę i torturowany człowiek, to nie mogłabym być szczęśliwa. Zapytałam terapeuty: co zrobić? „A co Pani chce?" – odpowiedział. „Zmienić świat". „Ale realnie?" „To nierealne? W takim razie chcę nie czuć".

– To nieprawda. Można zmienić świat! To nie jest choroba. Tego się nie leczy. Samemu – ciężko, ale razem jesteśmy w stanie sprawić, że wojna będzie trwała krócej, że pierwszy, drugi, trzeci więzień sumienia zostanie zwolniony. Ocalić od cierpienia jednego człowieka, jednego psa, jednego kota to niewiele, ale dla nich wszystko. Spójrz – Mojra, Karbon, Szakal... To mało?

Dorota

Domek rodziców stoi na końcu wsi. Matka jest szczęśliwa, że córka wróciła. Szkoda tylko, że w takim stanie. Dorota długo leży w łóżku, potem długo siedzi nad kubkiem kawy i patrzy w okno. Może tak cały dzień. Nic nie je. Matka nigdy nie lubiła, kiedy córka wychodziła z domu, ale teraz chce, żeby choć do sklepu się przeszła.

– Ludzie gadają. Wstyd mi – broni się Dorota.

– A czy ty coś złego zrobiłaś? Czy ty kogo zabiłaś? Zobacz na Jędrka, ten to się ludzkich języków nie boi. Wrócił i gospodarkę po rodzicach przejął.

Dorota myśli o Jędrku, który wyszedł z więzienia. Siedział za gwałt. Potem jednej dziecko zrobił, z drugą się ożenił. Ludzie pogadali, pogadali i przywykli. Idzie do sklepu. Zamiast habitu – sukienka; zamiast welonu – długie włosy. Czuje na sobie spojrzenia sąsiadów. To mała wieś, ludzie od trzech pokoleń się znają. Ale nikt nic nie mówi. Za plecami i owszem, ale w oczy nic.

Kończą się wakacje. Dorota nie chce zostać na wsi. Kiedyś myślała, żeby studiować, miała szóstki na maturze. W zakonie szczytem marzeń była teologia, a ona chciała na pielęgniarstwo. Było tylko dzienne, więc Mistrzyni się nie zgodziła. A teraz – w takim stanie – jak ma myśleć o jakichkolwiek studiach?

Dzwoni do zakonu, do sióstr, nikogo innego nie zna. Matka Generalna zawsze ją lubiła, obiecuje pomóc. Znajduje dla Doroty pokój u starszej pani, bardzo tanio. Daje pieniądze na pierwszy czynsz. Idzie razem z nią na uniwersytet – pielęgniarstwo jest bez egzaminów. Dorota dostaje stypendium, poznaje nowych ludzi. Z siostrami nie ma już żadnego kontaktu. Cztery lata w jednym pokoju, co chwila zapewniały o swojej wielkiej miłości, teraz nie poznają jej na ulicy.

Przez pierwszy rok odmawia brewiarz. Jutrznia, Anioł Pański, nieszpory, kompleta. Może poczuje to samo, co na początku, co w oazie? Radość, szczęście, zakochanie w Bogu. Ale nic nie czuje. Już w klasztorze pięć godzin modlitw to była męka. Zazdrościła zakonnicom, które czuły kontakt z Bogiem. Ona nie mogła się skupić, przysypiała. Wszystkiego więc sobie odmawiała, aby połączyć się z Jezusem. Ale nic nie czuła. Na początku dziwiła się, że siostry składały sobie życzenia: „Wytrwaj w powołaniu. Wytrwaj aż do śmierci". Czemu nie „Bądź szczęśliwa"? Tylko zawsze: wytrwaj! Siostry wytłumaczyły, że z ich oddaniem się Oblubieńcowi jest jak z małżeństwem. Na początku są motyle w brzuchu. Potem zostaje tylko wiara, że to był najlepszy wybór.

Modlitwa nie daje Dorocie ani spokoju, ani radości. Przestaje odmawiać brewiarz. Coraz rzadziej chodzi do kościoła.

Zatrudnia się w szpitalu, kończy pielęgniarstwo. Idzie na studia podyplomowe w Szkole Głównej Handlowej. Zaczyna pracować jako tajemniczy klient. Dzień po wprowadzeniu nowych funduszy inwestycyjnych lub ubezpieczeń przez banki idzie do oddziału i udaje, że chce je kupić. Testuje wiedzę sprzedawców. Zwykle wie więcej od nich.

W czasie studiów poznaje męża. Ona poukładana, odpowiedzialna, on roztargniony, lekko traktujący obietnice. Na początku uczą się od siebie, zafascynowani, jak można mieć tak zupełnie inaczej. Kiedy rodzi się Hańcia, ich związek traci równowagę. Zwycięża poukładanie. Rozstają się po dziewięciu latach. Dorota ani razu od wyjścia z zakonu nie ma depresji. Nawet w czasie rozwodu.

Teraz Hańcia ma pięć lat. Do Doroty najlepiej dzwonić o siódmej rano. Wtedy schodzi z dyżuru i spieszy się do domu, żeby wyprawić córkę do przedszkola. Ma cały etat na neurologii i pół na internie. W weekendy wykłada pielęgniarstwo w kilku szkołach. Planuje doktorat. I bywa jeszcze tajemniczą klientką. Oprócz tego, że jest zmęczona, wygląda na szczęśliwą.

– Ja bym granaty podkładała pod zakony – zaczyna. – Czy coś dobrego stamtąd wyniosłam? Nie. Bardzo ciężko mi było wrócić do życia. Do zwykłych przyjemności. W zakonie nikt się nie poznał, że mogłabym wykładać, słowem ludzi pociągnąć, pracować naukowo. Gdybym została, pieliłabym pewnie teraz jakieś grządki. Siostry się marnują. Dużo odeszło.

Trudno być w zakonie tak normalnie dobrym. Ludzie proszą cię o pomoc, ale ty najpierw musisz iść się pomodlić, a potem siedzieć z siostrami na rekreacji. Chcesz pójść za odruchem serca, ale to sprzeczne z posłuszeństwem. Nie pomagasz komuś, bo to wbrew woli przełożonej. Postępujesz dobrze czy źle? Mam znajomego księdza, on sobie tłumaczy, że to dobrze, że mi nie pomoże. Bo teraz jest przede wszystkim dla Boga, nie dla ludzi. Nie zadzwonił, kiedy rozstawałam się z mężem, a wiedział, że było mi trudno. Nie pożyczył kilkuset złotych, choć ma dużo pieniędzy. Jest dobry, ale dobra nie czyni. Przed Kościołem był inny. Zaprzyjaźniłam się w szpitalu z siostrą sercanką. Kiedy byłyśmy z Hańcią bardzo chore, poprosiłam, żeby kupiła nam leki i chleb. Nie mogła. Bo Bóg, bo wspólnota. I nie zostaje czasu, żeby pomóc. Nie winię jej, bo wiem, że tak jest. Byłam tam.

Zakony psują dobrych ludzi, idealistów, którzy chcą czegoś więcej. Jesteś zachęcana, by ślepo wierzyć, nawet jeśli się nie zgadzasz. Czarne jest białe, białe czarne. Masz to przyjąć w imię świętego posłuszeństwa. Ja tak robiłam. To był gwałt na umyśle.

A przecież jak idą do zakonu młode dziewczyny, to skąd mają wiedzieć? Myślałam, że tak trzeba, starałam się. Wszystkie moje problemy kwitowano, że jestem niedojrzała, niegotowa, zła. Nasza formacja polegała na przepisywaniu książek. Żarliwych, religijnych. Gdy chciałam coś przeczytać, Mistrzyni pytała: o czym? Potem zdejmowała książkę z półki i mówiła: ta. Nie było żadnych nowości, wszystko stare, przedsoborowe. W teologicznych pismach też były sprzeczności: Jan od Krzyża mówił o umartwieniach, a święty Franciszek, żeby sobie wybaczać. Skąd miałam wiedzieć, jak to pogodzić?

Pięć razy brewiarz, codziennie msza, *Mea Culpa*, moja wina, moja bardzo wielka wina. Cały czas rąbany rachunek sumienia. Ciągle się zastanawiasz, czym dzisiaj obraziłaś Boga. Mistrzyni zachęcała do małych umartwień, o których nikt nie będzie wiedział. Myślałam: jestem zła, straszna, grzeszna. Dostałam depresji. Wszystko stawało się obojętne. Ale myślałam, że to dobrze. Że nic mnie nie będzie odrywało od Boga.

Każą ci mówić prawdę, a za chwilę nie gorszyć, nie dawać złego świadectwa. Musisz tryskać radością. Musisz udawać, bo w zakonie rozliczają cię z emocji. Przełożone dawały przykład. Zwalczały się, widać było po twarzach, napięte, czerwone. A oficjalnie całowały się i ściskały. To paradoksy, od których trudno się uwolnić. Nie masz kogo zapytać. Nikt nie może wiedzieć, że masz wątpliwości. Ani ludzie z zewnątrz, ani współsiostry. Bo kogoś to może zgorszyć.

Czy Hańcia pójdzie na religię? – zamyśla się. – Nie wiem.

Justyna

Właśnie została zwolniona z pracy. Opiekowała się dziećmi w ośrodku prowadzonym przez jej zgromadzenie. A już wszystko zaczynało się układać. Już nawet mama zdjęła ze ściany jej zdjęcie w habicie. Wisiało do teraz, a przecież minął rok, jak odeszła. I z kościoła zaczynała wychodzić pełna nadziei. Wcześniej nie mogła oderwać się od myśli, które towarzyszyły jej na każdym kroku.

– O tej porze biegłabym na nieszpory – wpadało jej do głowy po południu.

– Jakie jest moje powołanie? Czy źle je rozpoznałam? – rozważała przed zaśnięciem.

– Czy tego chciałeś? Czy to ja nie podołałam? – dręczyły ją wątpliwości podczas modlitwy.

Od niedawna zaczęła czuć, że w pracy z dzieciakami doświadcza Boga bardziej niż w zakonie. Że nadal Mu służy. Jakie to ma znaczenie, w habicie czy bez.

Po wyjściu z zakonu pojechała do rodziców. Tam usłyszała, że cała wieś się na niej zawiodła. Ze współsiostrami urwał się kontakt, nikogo innego nie poznała. Była sama. Bez przyjaciół, pieniędzy, pracy i mieszkania. Bez ubrań, bo wszystko rozdała przed wstąpieniem do klasztoru. Bez jednego garnka i talerza. Bez niczego.

A i tak miała więcej szczęścia niż inne siostry. W zakonie każda dzień po przyjęciu musi podpisać pismo, że zrzeka się wynagrodzenia za swoją pracę. Tylko od dobrej woli przełożonej zależy, czy odchodząca otrzyma zapomogę na start. Ona dostała dwa tysiące złotych. I miała odprowadzone wszystkie składki do ZUS-u. Zdarza się, że zakon nie odprowadza – zwłaszcza za siostry pracujące w klasztornej kuchni czy zakrystii.

Justyna nie wie, dlaczego została zwolniona. Ale przecież nie zapyta o to Matki Generalnej.

IWONA

Wiedzieliśmy, że wrócisz – powiedzieli mi rodzice na powitanie. Było mi wstyd. Czułam, że zawiodłam. Wszystko wokół wydawało mi się takie nowe. A tylko dwa lata mnie nie było. Zadzwoniłam do Julki, tej, co z nią śmietnik podpalałam w dzieciństwie. – Jakaś ty zmieniona! – mówi. – Ale się rozkręcisz. Załatwiła mi pracę w Rossmanie. Nabijali się tam, że różaniec noszę i że nie da się ze mną o niczym normalnym pogadać. Przez pewien czas brewiarz odmawiałam, do kościoła chodziłam. Potem przeszło.

Męża poznałam w Rossmanie, był policjantem. Przyszedł, jak złapali u nas złodzieja. Spojrzeliśmy na siebie i to był jeden strzał. Od pierwszego wejrzenia. Czy to było podobne do tamtego zakochania w Bogu? Coś podobnego w tym było. Trochę inny rodzaj miłości – tam czułam dobro, a tu widziałam ideał. Które mocniejsze? W mężu. Spać, jeść nie mogłam, ale szaleństwo!

Ślub wzięłam w tajemnicy przed rodzicami. Dwa lata minęły, mieszkaliśmy w malutkiej kawalerce w środku miasta, a ja chciałam mieszkać na wsi. Mówię: weźmy kredyt, hajtnijmy się. Szkoda kasy na wesele, podpisaliśmy papier w urzędzie i jeszcze tego samego dnia poszliśmy do banku. Rodzicom nic nie powiedziałam, bo uznają tylko ślub kościelny. I cały czas suszyli mi głowę, żeby wszystko było po bożemu. Po czterech latach pokazałam dowód matce. I oświadczyłam, że kościelnego w życiu nie wezmę. Wiarę bym musiała mieć. Dwójka dzieci też nieochrzczona. Starsze chodzi na religię, nikt nas o to nie zapytał, ale do komunii nie pójdzie. W Kościele mi się tyle rzeczy nie podoba, to całe zakłamanie, pedofilia, afery. Po moich doświadczeniach uważam, że zakony to sekty. Mąż też niezbyt chętny Kościołowi. Ostatnio znaleźli faceta – miał zawał w łóżku z kochanką. Dzwoni do mnie z pracy i mówi: zgadnij, kto to. Okazało się, że ksiądz.

Za daleko miałam już do tego Rossmana, więc poszłam do Auchan, nic innego akurat nie było. Byłam obrotna, więc mnie wysyłali: na sery, na nabiał, na mięsny. Zimno było na tym mięsnym. My pakowałyśmy i miałyśmy okno na rzeźników. Chciałam do nich pójść, żeby mnie nauczyli rozbierania mięsa. – Po co ci to? – śmiały się dziewczyny. – Prędzej ty się rozbierzesz – żartowali tamci zza okna. Ale byłam uparta. Dali mi piłę. Była bardzo ciężka. I się nauczyłam. Rzuciłabyś mi półtuszę, to całą rozbiorę. Gorzej z udźcem wołowym. Ale jaka to ciężka praca. Jakie żylaki oni mają! Mogłam siedzieć na dziale reklamowym, ludzie myślą, że to fajne, a ja wolałam poznać coś nowego.

Potem poszłam na Akademię Sztuk Pięknych. Co cię tak dziwi? Od dziecka malowałam i całkiem dobrze sobie radziłam. W klasztorze dostałam farby po takiej zakonnicy, która zmarła, i kopiowałam ikony, robiłam pocztówki urodzinowe. Siostry się dziwiły, że potrafię. Ale na płótno skąpiły, miałam tylko papier. Niestety, malarstwo było dzienne, a my zadłużeni, z kredytem, więc poszłam na zaoczne. Tam był taki kierunek edukacja artystyczna, po którym można prowadzić plastykę. Praktyki robiłam w domu opieki dla osób z niepełnosprawnością. Byłam w nim kiedyś z ochroniarzem, którego poznałam w Rossmanie. Chciał iść do zakonu, więc dużo rozmawialiśmy. W końcu się we mnie zakochał, bez wzajemności. W tym ośrodku miał brata i poprosił mnie, żebyśmy razem pojechali w odwiedziny. Wyszłam wstrząśnięta. Chciałam jakoś pomóc tym ludziom. Chodziło za mną: idź tam, idź tam. No więc w końcu poszłam.

Opowiedziałam swoją historię pani dyrektor. – Ja pani dam pracę, jak pani skończy studia – obiecała. Sześć lat tam spędziłam, ale przeżyłam traumę. Było ciężko, ryczałam, zaklinałam Boga. Byli pielęgniarze, którzy bili, kradli jedzenie, patologia. Teraz to świecki ośrodek, wcześniej miały go zakonnice. Za sióstr lepiej nie było. Pacjenci opowiadali, jak krzyczały na nich, rzucały dużymi, żelaznymi kluczami i okładały czym popadnie. W końcu też przestałam wytrzymywać i czasem już kogoś chciałam trzepnąć. Żadnego wsparcia, pacjenci trudni, część miała straszne natręctwa. Personel przepracowany. Wtedy powiedziałam sobie: opamiętaj się, trzeba odpocząć.

Zostawiłam ośrodek. Zajęć miałam w bród, bo w międzyczasie zdążyłam zrobić podyplomowe wychowanie przedszkolne, zarządzanie oświatą i technikę z informatyką. Uczyłam więc plastyki i techniki w dwóch szkołach, miałam nadzór pedagogiczny nad żłobkiem i jeszcze prowadziłam zajęcia na uniwersytecie trzeciego wieku. Tam bym nawet za darmo pracowała, całe serce oddaję tym ludziom. Przypomina mi się moja babcia. Żal, że tyle uwagi jej nie dałam. Gówniara byłam, co mnie obchodziło, że jadła koty w czasie wojny.

Potem urodziłam dwójkę dzieci, więc mam czas tylko na żłobek. Z jednego bym nie wyżyła, więc nadzoruję cztery.

Teraz jak idę do tych moich żłobków i widzę dziewczyny, które narzekają, że jest tak dużo zmywania, a mają zmywarkę, albo że dzieci trzeba ogarnąć przez kilka godzin, i jak któraś mi mówi, że jest jej ciężko, to ja myślę: Co ty wiesz o pracy? Co ty wiesz o pracy...

W klasztorze zawsze miałam najgorszą robotę. W zakonie przełożone źle zarządzały. Łamały charaktery. Zamiast wytłumaczyć, po co ten kibel tak czyścić, to cię zmuszały. A mogłyby w bardziej ludzki sposób podejść. Dla mnie zawsze pracownik jest najważniejszy. Nie będę go obarczać rzeczami bez sensu. Chcę być dobrą osobą, pomóc ludziom, a nie ich gnębić.

AGNIESZKA

Na jej widok rodzice wyprawiają imprezę. Choć to duże miasto, dzielnica mała. Wszyscy ją znają. Kiedy w sklepie kupuje wino, ktoś rzuca: – Oj, siostrzyczka musi się rozgrzać. Inni sztuczni, ugrzecznieni, przy niej nie przeklinają, bo nie wypada. Znajomym wydaje się, że z nią można tylko się modlić. Wprowadza się do mieszkania, które dostała od ojca. Szuka pracy, ale jest łysa. Wiele zakonnic goliło głowę, bo pod welonem i tak nie było tego widać. W dowodzie ma zdjęcie w habicie. Na rozmowie kwalifikacyjnej dziwnie na nią patrzą. Ona nie wie, jak się zachować. Siostry nigdy nie wypuszczały jej do pracy poza klasztor. Chciały pilnować. Skończyła dwadzieścia trzy lata, ale czuje się, jakby miała osiemnaście. Jakby czas stanął w momencie przekroczenia klasztornej bramy. Tak samo było z innymi siostrami. Przychodziły jako szesnastolatki i już nie dojrzewały. Trudno dojrzeć w izolacji.

Włosy odrastają. Dostaje pracę – porządkuje akta w sądzie. Lekarze wreszcie wykrywają, dlaczego źle się czuje. Astma i problem z tarczycą. Dostaje leki i odżywa. Żegluje i jeździ w góry. Kończy pedagogikę i podyplomowe zarządzanie.

Myśli o powrocie do zakonu. Ale po trzydziestych urodzinach wie, że jej czas minął. Kandydatek w tym wieku już się nie przyjmuje. Młode dziewczęta szybko przyjmują klasztorną dyscyplinę, a starsze zbyt nasiąkły światem, żeby je można było łatwo ukształtować.

Służy więc Bogu i ludziom po swojemu. Kiedyś była w harcerstwie, więc wie, co zrobić, żeby dzieciaki z dzielnicy przestały przesiadywać pod śmietnikiem. Zabiera je do lasu, bawią się w obozy przetrwania.

Zostaje radną dzielnicy. Z najlepszym wynikiem. To funkcja społeczna, więc po godzinach razem z sąsiadami sprząta podwórka, łata dziury w chodnikach i ściera się z urzędnikami, którzy nie widzą problemów mieszkańców.

Męża nie chce. Wolność jest zbyt cenna. Bierze tylko psa, którego ktoś nadział na sztachety, a potem zostawił w rowie. Kończy kurs dla rodziców zastępczych. Było wolne miejsce, a ona myśli o doktoracie na pedagogice – przynajmniej tak to sobie tłumaczy. Po kilku miesiącach telefon: – Wiemy, że nie bardzo chciałaś, ale mamy bliźniaków. W ośrodku nie dają im żyć. Muszą zostać natychmiast zabrani.

Boże, dziecko w domu! Od razu dwójka! Była przyzwyczajona, że jak dzwonił do niej któryś ze znajomych żeglarzy o czwartej nad ranem: „Rozkraczyłem się, pomóż", to wsiadała w samochód i jechała. A teraz? Co będzie?

Ale życie z chłopakami okazuje się genialne. Tylko w szkole idzie im ciężko. Zapisała ich na karate. Nie tylko po to, żeby ćwiczyli mięśnie. Każdy krok, który zapamiętacie, to jedna komóreczka w głowie więcej – powtarza.

W niedzielę pyta: – Idziecie ze mną do kościoła, sami czy w ogóle? Uważa, że do każdego Bóg mówi w swoim czasie.

Z Bogiem jest tak samo blisko jak w klasztorze. Z Kościołem już nie. Nie wierzy w niepokalane poczęcie ani w nieomylność papieża. Modli się własnymi słowami. Kłania się Bogu, ale nie bije czołem przed kapłanem. Nie oddaje czci obrazom, nie rozumie, jak ludzie mogą omijać Jezusa, żeby klęczeć pod Janem Pawłem II.

– Ludzie żyją płytko. Z osobą świecką o Bogu nie porozmawiam, bo powie: nawiedzona. Tylko współsiostry mnie rozumieją. Cieszę się z każdej, która wraca. Szanuję tę, która została. Nie ma powołań, zostały same starsze zakonnice. Nic, tylko zamknąć. A ja kocham moje zgromadzenie. Nawet do tej pory. Bardzo wierzę, że łupnie o ziemię i coś się zmieni. Że przełożone będą miały minimum wykształcenia. Że siostry nie będą godzić się na bylejakość. Że przestaną być zacofane, bo ich porady są oderwane od rzeczywistości. Potrzebna jest reforma. Wszystko zatrzymało się w czasie.

Wracają chłopcy z treningu, pies szczeka. Wołają Agnieszkę do przedpokoju. Wręczają jej polny kwiatek i serduszko z napisem: „kochamy cię, mamo".

Zakładam buty. Agnieszka jeszcze kończy myśl.

– Służę ludziom. My, społecznicy, mamy to we krwi. Może czasem brakuje mi duchowego sensu. Może czasem jestem wkurzona, że za dużo marzeń zostawiłam na później. Że wciąż nie zrobiłam doktoratu, od lat nie byłam na urlopie, nie mam własnego jachtu. Ale teraz też jestem najbardziej szczęśliwa ze wszystkich czasów.

Ostrożnie, delikatnie wkłada kwiatek do wazonika.

IZABELA

Szuka innego zakonu. Ale ma już trzydzieści lat i jest za starą kandydatką. Szuka więc sensu: – Może Bóg chciał mnie chronić, bo zwariowałabym w chorym zgromadzeniu? Może miałam być ich głosem sumienia? Zakochuje się. – Bóg dał Adamowi Ewę – tłumaczy sobie. Bóle w rękach i nogach znikają. Bierze ślub.

Przez trzy lata uczy w szkole religii. Potem rodzi się Antek, dwa lata później Przemek. Zajmuje się nimi sama, bo mąż jest budowlańcem i nie ma go od rana do wieczora. W nocy wstaje do Przemka po trzydzieści razy, a w dzień uwagi domaga się Antek. Bóle wracają. Nie śpi. Do tej pory codziennie odmawiała brewiarz. Teraz nie ma już siły. Przestaje się modlić.

– Zakonnice powinny być chodzącymi aniołami, mają tyle czasu – złości się.

A ona zmienia pieluchy, przeciera marchewkę, robi babki z piasku. Sprząta, pierze, gotuje. Potem znowu pieluchy, mleko, kołysanki. Mąż pada po pracy, ona po dniu z dziećmi. Życie małżeńskie zamiera, duchowe też.

Spowiednik mówi: – Wstajesz w nocy trzydzieści razy – wstajesz do Chrystusa. Ofiaruj Bogu swój brak czasu.

– Dopiero teraz, po dziewięciu latach, odkrywam, że takie życie też jest miłe Bogu – mówi Izabela. – I że mogę Mu ofiarować siebie w inny sposób. Dzieci to moja modlitwa. Po owocach poznaję, że tak właśnie mam się modlić, nie w klasztornej kaplicy.

Siedzimy pod ogromnym krucyfiksem. Pytam, czy przed zakonami jest jakaś szansa na odnowę.

– Trzeba zacząć od rozmowy o tym, co się dzieje. Nie wybielajmy zgromadzeń. Nawet święci upominali zakony. Nikt nie może nakazywać kłamstwa. Granica posłuszeństwa jest w sumieniu. Widziałam w zakonie osoby, którym cokolwiek się każe, to idą i robią. A potem nie wytrzymują. Ile jest prób samobójczych i depresji! Przełożone żyją w niewiedzy, nie są złymi osobami. Wiara w Boską Opatrzność jest ważna, ale znajomość psychologii też by się siostrom przydała.

Na koniec nie mogę nie zapytać o bóle. Jestem ciekawa, czy wciąż je odczuwa. Pojawiają się w specjalnych momentach czy trwają cały czas?

– Na razie przeszły. Już od roku ich nie miałam. Wcześniej ustały tylko raz, kiedy weszłam w grzech. Najdotkliwsze były w zakonie. Tam czułam, że jestem najbliżej Boga. Może kiedy się grzeszy, to Jezus zabiera bóle? A jak się jest blisko Niego, to nimi obdarza?

7+13

Dwadzieścia historii. Było już siedem. Następnych trzynaście jest podobnych. Czy były w zakonie rok, siedem czy dwadzieścia pięć lat, siostry mówią to samo. Czy ktoś w ogóle będzie słuchał? Jeszcze jednej historii: o przełożonej, która po swojemu wyraża wolę Bożą, o walce z wiatrakami, o osuwaniu się w ciemność...

Każda historia zasługuje na uwagę. Bo byłe zakonnice nikomu nie opowiadają o swoim życiu. Nie występują w telewizji – powiedzieć złe słowo na zakon, to stanąć samotnie przeciw Kościołowi. Nie mówią znajomym ani rodzinie, bo ludzie nic nie rozumieją. I nie wierzą. Dla ludzi świat jest prosty: odeszła, bo na pewno w jakimś księdzu się zakochała. W ciążę z biskupem zaszła. Jak one tam bez chłopa wytrzymują? Chyba w czystości nie żyją? A po co im świece gromnice? Ha ha ha.

O czym oni mówią?

Jaki biskup? W zakonie walczy się o przetrwanie.

Jaki ksiądz? Tam szuka się sensu, który dawno został zgubiony.

Jakie pokusy? Gdy pada się ze zmęczenia...

Jak przekazać to, co naprawdę istotne? Wytłumaczyć, że chodzi o coś zupełnie innego?

Opowiedzieć o rzeczach wielkich i małych. Wielkich, które bolą. Małych, które śmieszą, ale gdy jest ich dużo, człowieka ogarnia poczucie absurdu.

Wielkie:

– Napisałam list z prośbą o zwolnienie ze ślubów wieczystych. A w nim tak: „Odchodzę po dwudziestu pięciu latach. Gdzie było zgromadzenie przez ten czas? Przecież dzieje się źle. Niektóre siostry mają laptopy, tablety, po trzy komórki, pozostałym nie wolno, bo ubóstwo. O tym, komu wolno, decyduje przełożona, która sama ma prywatne konto bankowe i samochód, nie wiadomo na kogo zarejestrowany. Siostry chorują, a nie dostają zgody na wizytę u lekarza, aż wydarza się tragedia. Jedna umarła na raka szyjki macicy, bo słyszała, że do ginekologa się nie chodzi. Inna była w rozpaczy, przechodziła kryzys wiary, ale nikt nic nie zrobił, aż cudem odratowano ją po próbie samobójczej. Trzeba dzień w dzień pracować po kilkanaście godzin, a potem rano krzyk, że się zaspało na modlitwę. Kontrole są fikcją, bo przełożona przekupuje siostrę z generalatu złotym zegarkiem albo wycieczką do Rzymu". I tak dalej przez dwie strony. Prowincjalna przeczytała list i wezwała mnie do siebie.

– Opisałaś jak jakąś jaskinię złoczyńców – mówi.

– A co tam jest nieprawdą? – pytam.

– Ja ci nie mogę tego przyjąć.

Nie chciałam już walczyć, tylko odejść. Napisałam więc dwie strony kłamstw. Zaczęłam tak: „Nie czuję się na miejscu, nie lubię chodzić do kościoła, wspólnota mnie denerwuje".

List przyjęto bez zastrzeżeń.

Małe:

– Kiedyś był przepis, że siostrom nie wolno nocować w domu u rodziny. Musiałam zatrzymywać się u księdza na plebanii. Potem mogłam, ale tylko w osobnym pokoju. Wszyscy na kupie mieszkali, gdzie osobny pokój? Trzeba było stale pilnować welonu. Nawet w domu własnej matce nie mogłam się pokazać z odkrytą głową. Spać musiałam w czepku. W lato okropnie gorąco. Więc zdejmowałam, kiedy nikt nie widział. Raz w nocy poszłam do kibla, a tu matka. No to prędko koszulę na głowę zadarłam. A ona na to: – Boże, co to za zgromadzenie, że głowy nie obejrzę, a dupę mogę.

Wielkie:

– W zakonie byłam księgową. Zrobiłam studia, z biskupem na kawkę chodziłam. Ale chciałam żyć uczciwie, a w księgowości to każdy wie, jak jest. Kazali mi przetargi ustawiać, lewe dokumenty podpisywać. Kiedy odeszłam, miałam tylko tiszert, majtki i buty. Spódnicę dała bratowa. I to była jedyna pomoc od rodziny. Przez kilka miesięcy jadłam chińskie zupki. Praca była tylko w sklepie mięsnym. Do dzisiaj stoję za ladą. Ale mogę przynajmniej powiedzieć: kochana, tego mięsa nie bierz, wczorajsze.

Małe:

– Włosy mi urosły i chciałam je móc czymś związać. Poprosiłam przełożoną o pieniądze na gumkę do włosów. – Siostra chyba na łeb upadła! – krzyknęła. Poszłam z tym do generalatu. Kilka lat debatowano, czy będziemy mogły dostawać kieszonkowe wysokości dwudziestu złotych miesięcznie. Kiedy zdecydowano, że tak, już mnie nie było w zakonie.

Wielkie:

– Odeszłam po dwudziestu latach. Przenoszono mnie z miejsca na miejsce, po cztery razy w ciągu roku. Zawsze jakaś ciężka praca przy świniach albo w polu. Raz było inaczej – zostałam dietetyczką w domu dla dzieci z upośledzeniem, zadomowiłam się. Ale znów decyzja o przenosinach. Nie ma zmiłuj, pojechałam. Zadzwoniłam do przyjaciółki, żeby się pożalić. Przełożona podniosła drugą słuchawkę. Od razu wielka awantura, że śmiałam rozmawiać z kimś świeckim o sprawach zakonnych. Zmusiła mnie, żebym zadzwoniła do przyjaciółki i zerwała z nią kontakt. Przez pięć lat nie dała mi żadnej normalnej pracy. Sprzątałam na zmianę toalety, kuchnię i kaplicę. Miałam zawodowe prawo jazdy, wszyscy wiedzieli, że woziłam dzieci busami. Na podwórku stał samochód, ale kiedy siostry miały gdzieś jechać, mówiła: nie ma u nas kierowcy. Kazała brać taksówkę. Nigdzie nie mogłam wychodzić, całe dnie w pokoju. Zgłupieć można. Pisałam co pół roku z prośbą o przeniesienie. Bez rezultatu. Moja mama widziała, co się dzieje. Pojechała wstawić się za mną u Prowincjalnej. Przejechała pięćset kilometrów w upale, w samochodzie bez klimatyzacji. Siedziałyśmy na korytarzu. Mama spocona, ledwo żywa. Prowincjalna najpierw miała obiad, potem inne obowiązki i nie znalazła nawet pięciu minut. Jeszcze nie potrafię jej tego wybaczyć.

Miłość zdarza się rzadko. Ale jeśli się zdarza, pomaga przetrwać. Można jak Joanna i Magdalena zakochać się we współsiostrze. Można w księdzu. Miłość staje się wtedy furtką na wolność. Wśród dwudziestu bohaterek książki była jeszcze tylko jedna, która odeszła do kogoś.

Historia z początku jak inne. Trzynasty rok w zakonie. Posłuszeństwo, przepracowanie, ciemność. I wtedy pojawia się on, ksiądz, zakonnik. Porozmawia, doradzi, wysłucha.

Ona powie o tym momencie: Pojawiło się światełko, które zaczęłam wpuszczać do mojego samotnego życia. Szczelinka zakochania.

On powie o tym momencie: Miałem tyle endorfin, że mógłbym wszystkich wyleczyć z depresji. Całe kraje skandynawskie.

Spowiednik jednak szybko go otrzeźwił: – Jesteś księdzem. Masz zerwać ten kontakt.

Wtedy endorfiny przestały się wydzielać. Było czarno i smutno. Po kilku miesiącach nie wytrzymał i zadzwonił. Umówili się, że wyjadą na tydzień wakacji.

Ona powie o tym momencie: Było cudownie. Już nie chciałam myśleć. To była furtka, żeby wyjść. Zakon wydawał mi się koszmarnym snem.

On powie o tym momencie: Zrozumiałem, że gdybym został w zakonie, stałbym się księdzem oziębłym, bez uczuć, urzędnikiem, który szuka używek, żeby przetrwać.

Zdecydowali, że przygotują się do odejścia. On zorganizuje pracę, ona mieszkanie. Ale kiedy wróciła do zakonu, przełożona o wszystkim wiedziała.

– Siostra urwie ten kontakt sama czy ja mam to zrobić?

Ani dnia dłużej – pomyślała. – Haruję na was cały czas. Koniec.

Napisała prośbę o zwolnienie ze ślubów wieczystych.

– Trzeba będzie długo czekać. I nie wiadomo, czy Papież się zgodzi... – oponowała Prowincjalna.

– Papież tego nie ogląda – na szczęście w nocy zdążyła przeczytać w internecie o procedurach. – Pismo otrzymuje kongregacja, która nikomu zwolnienia ze ślubów nie odmawia. Trwa to kilka miesięcy. W związku z tym chcę prosić o pozwolenie noszenia stroju świeckiego na czas oczekiwania.

– To niemożliwe. Jak siostra to sobie wyobraża?!

– Muszę szukać pracy.

– Do czasu zwolnienia ze ślubów siostra ma ich przestrzegać! Nie wydamy żadnych dokumentów, póki nie przyjdzie potwierdzenie z Watykanu.

Już nie próbowała się dogadać. Habit mogła sama zdjąć, a kopia dyplomu leżała u rodziców. Była wolna. On odszedł z zakonu zaraz po niej. Zamieszkali razem.

On: Ostatniego dnia rano zrobiłem obchód chorych, odprawiłem dwie msze, oprowadziłem wycieczkę po kościele, robiąc powołaniówkę. Czyli opowiadałem o pozytywnych stronach zakonu. W każdym miejscu robiło się powołaniówkę.

Powołaniówka?

Ona: Powołaniówka, czyli atmosfera: siostrzyczki, gitara, ognisko, góry. Sama nie wiem, czy to było zakochanie w Bogu, czy w atmosferze.

On: Wabi się nas wspaniałym życiem w zakonie. Przyjeżdżasz na pierwsze rekolekcje i masz najlepsze jedzenie, jajka z kawiorem i najlepsze wino. A potem całymi dniami jesz chleb ze smalcem.

Ona: To działa jak sekta. Zakonnice są wysyłane w teren, żeby wyłapywać dziewczyny w szkołach średnich, wabić, bombardować miłością. Wszystko po to, żeby było jak najwięcej powołań. Była konkurencja między prowincjami, trzeba się było wykazać. A jak się już wyczuje, że ktoś chce iść, to pozamiatane. Dzwoni się, pisze listy, zaprasza do klasztoru. Jeśli ktoś nie chciał tak robić, wysyłano go na karną placówkę. Tłumaczą ci, że to dla dobra Kościoła, dla dobra zakonu. Masz klapki na oczach.

Wzięli ślub. W grę wchodził tylko cywilny, bo księdzu bardzo trudno jest uzyskać dyspensę. Każdy kapłan, który decyduje się na ślub, zaciąga na siebie ekskomunikę.

On: Ani jednej godziny po odejściu nie żałowałem. A minęło już półtora roku.

Ona: Ja też. Wolę się z tobą pokłócić niż tam siedzieć.

Brała każdą pracę: sprzątanie, opieka nad dziećmi, pomoc dentystyczna. Dostała jedną, szukała drugiej. W końcu zaczepiła się w szkole, jest po teologii, uczy religii. On miał zakaz pracy jako katecheta, przekwalifikował się na przedstawiciela handlowego.

On: Jako ksiądz byłem panem sytuacji, bo to ludzie do mnie przychodzili, to oni ode mnie coś chcieli. A teraz ja muszę prosić. Przez dwanaście lat nie zajmowałem się pracą. Wszystko mi się należało. A teraz nie zarobisz, to nie będzie.

Ona: Pierwsza pensja – nie wiedzieliśmy, czy to dużo czy mało. Okazało się, że mało. Ale nie pożyczamy, choć zdarza się, że na koniec miesiąca mamy dwa złote w kieszeni.

On: Jakbym teraz wszedł na ambonę, tobym coś sensownego mógł ludziom powiedzieć. Widziałem plakat na kościele, że kobiety powinny odłożyć pracę na później, żeby rodzić dzieci. Niech ci księża pożyją pół roku w świecie, to przestaną gadać takie bzdury.

*

Dwadzieścia historii. Opowiedziały je siostry z dwunastu zgromadzeń. Czy zakon był duży i liczył kilkaset zakonnic, czy mniejszy, gdzie zostało ich kilkadziesiąt, mówiły to samo. Czy spędziły w zakonie rok, siedem czy dwadzieścia pięć lat, mówiły to samo.

Byłe siostry stanęły w prawdzie. Kiedy już powiedziały o rzeczach złych, przeszły do dobrych. Każda poświęciła im nie więcej niż kilka minut.

Co dobrego wyniosłaś z zakonu?

Najczęściej: nauczyłam się sprzątać, gotować, organizować czas.

Czasem: skończyłam studia.

Kilka razy: pomogłam ludziom.

Rzadko: tęsknię za współsiostrami, za ideą, w którą wtedy wierzyłyśmy.

Nigdy: chcę wrócić.

SENS

To już koniec historii. Ale ich bohaterki chcą wiedzieć, czy to, co przeżyły, jest wyjątkiem czy regułą.

Każda, idąc do klasztoru, chciała czynić dobro. Każda próbowała, ale zakon jej to uniemożliwił.

Niektóre wpadły w depresję na skutek umartwień i wierności ślubowi posłuszeństwa, a wówczas przełożone pozbyły się ich jako niedojrzałych. Pozostałe odeszły same, kiedy straciły nadzieję na zmianę.

Potem ze wszystkich rzeczy, które oferował im świat, wybrały bycie dla innych. Uczą dzieci. Ratują ludzi i zwierzęta. W pracy i po godzinach. Dla Boga i bez Boga.

Byłe siostry chcą wiedzieć, czy popełniły gdzieś błąd. Czy wina leży po ich stronie, bo okazały się zbyt słabe. Nie wytrwały. Ugięły się zbyt wcześnie i nie zdążyły odkryć sensu, który gdzieś tam jest. Bo jednak w głębi czują, że postąpiły słusznie. A jeśli tak, to... może tego sensu nie ma?

Widzą, że bracia żyją inaczej. Czemu oni nie dążą do tego ideału? Słyszą, że zakonnice za granicą idą inną drogą. Czemu one do niego nie dążą? Czyż polskie siostry są najdoskonalszym przejawem oddania się Bogu w myśl tego, czego On oczekuje od człowieka? Czy przeciwnie – tkwią w zniewoleniu?

Kto podejmie się odpowiedzieć na te pytania?

ODPOWIEDZI

ŚWIĘTE

Siostry przełożone są przekonane, że postępują słusznie. Mistrzynie i Matki Generalne nie są złymi macochami, które gnębią swoje córki, one wierzą, że prowadzą je ku doskonałości. Że robią to, czego oczekuje od nich Chrystus. Że takie zadanie wyznaczył im Kościół. Zakonnica ma być cicha i pokorna jak Maryja. Powinna iść za przykładem Faustyny i małej Tereski. Kościół przecież uznał je za święte. Im bardziej rezygnują z siebie, im bardziej wyrzekają się świata, im więcej upokorzeń przyjmują, tym bliżej są Boga. Ich droga to nieustająca ofiara i umartwienia.

Czyż nie jest to jasna wskazówka? Mała Tereska wyznała na łożu śmierci, że najbardziej dokuczliwe w klasztorze było dla niej zimno, ale nigdy nie poprosiła o dodatkowy koc. Walkę z gruźlicą wolała toczyć w nieogrzewanej celi niż w szpitalnej izbie. A Faustyna powtarzała, że chce się ścielić pod stopy sióstr niczym dywanik i pragnie jak największych upokorzeń. Uważała, że jako „największa nędza i nicość" musi błagać Boga, aby się nad nią zmiłował i kształtował jej biedne serce według swojego upodobania. Czyli poprzez posty, umartwienia i cierpienie...

Czy Chrystus pragnął, żeby zakonnice żyły w ten sposób? Czy to nakazuje im religia katolicka?

Każda z byłych sióstr stanęła w pewnym momencie przed tym dylematem. Jak rozwiązały go Joanna i Magdalena, które dyskutowały o tym kilkanaście lat?

Magdalena: Pytasz o paradoks. Wszyscy wyznawcy, także katolicy, „jedyni prawowierni", powinni emanować radością. Zmartwychwstał Pan i pokonana została śmierć. Bogu winniśmy wdzięczność za życie wieczne! Niestety, katolicy praktykują tę radość jedynie podczas rezurekcji – potem wracają do „zwykłego" cyklu liturgicznego, którego istotą są nawoływania do nawrócenia i czynienia pokuty. To tak jakby zatrzymać się na Wielkim Piątku i zapomnieć o Wielkiej Niedzieli.

Joanna: Fundamentem chrześcijaństwa jest miłość. Ale miłość ofiarna, wymagająca poświęceń, wyrzeczeń, rezygnacji – nawet z własnego życia. Nikt nie ma większej miłości od tej, gdy ktoś życie swoje oddaje za przyjaciół swoich – mówił Chrystus. Skoro więc samopoświęcenie jest chrześcijańskim ideałem, zakonnice i święci przez praktykowanie umartwiania dążą do ideału – naśladują Chrystusa. Im bardziej ktoś się wyniszcza, tym lepiej – jest bliżej Boga, usiłuje zjednoczyć się z cierpieniem Chrystusa...

Czy Bóg tego chce? Nie sądzę. Skoro Jego istotą jest miłość, to jak może oczekiwać upokorzeń, umartwień, cierpienia od człowieka, obiektu tej miłości? To jakiś zgrzyt, niezgodność, wynaturzenie... Te wszystkie praktyki pokutne to nieporozumienie. Jakaś średniowieczna zaszłość, błąd w logicznym rozumowaniu. Bóg tak umiłował człowieka, stworzonego na swój obraz i podobieństwo, że sam oddał życie swojego Syna za wszelkie ludzkie nieprawości. Była to ofiara doskonała i jedyna – niepowtarzalna, szczyt miłości. Wszyscy ochrzczeni są poprzez nią pojednani z Bogiem, uczestniczą w Jego wiecznym istnieniu, po własnej śmierci. I to jest właśnie powód chrześcijańskiej radości: Bóg umarł raz – dając wiernym życie. Śmierć została pokonana. Nie ma już potrzeby ani możliwości ponawiania tej ofiary. Umartwienia to nieudolne próby dorównania Bogu, w sumie to zuchwałość mierzyć się z Bogiem! Dokonało się – to jest sedno religii chrześcijańskiej.

Matka Nikodema

Czy historie tu opowiedziane to wyjątek czy reguła? Chcę o to zapytać matki przełożone, które prowadzą swoje córki ku doskonałości. Przyjaciółka umawia mnie z przełożoną kierującą domem pomocy społecznej, wcześniej przez wiele lat matką generalną.

Nikodema nosi długi czarny habit. Głowę szczelnie okrywa biały czepek, nie widać uszu ani włosów. Na plecy spływa czarny welon. Wygląda w tym stroju bardzo surowo.

Na stole drożdżowe rogaliki i herbata. Ona sama nie je ani nie pije. Co zostanie, zapakuje mi na drogę. Od dwóch lat kieruje domem dla dzieci z upośledzeniem. Prowadzi przez pokoje i przedstawia mieszkańców. Najbardziej pogodne są osoby z zespołem Downa. Śmieją się, przytulają, pokazują rysunki. Nikodema zatrzymuje się przy kilkuletnim chłopcu, któremu lekarze dawali pół roku życia. Chłopiec ma zupełnie zniekształcone ciało i bardzo dużą głowę. Leży nieruchomo twarzą do ściany. Leży tak całe życie. Wychodzimy na korytarz. Nikodema odwraca się do ściany i płacze.

– Muszę wierzyć. Bo jeśli nie Bóg, to jaki by to miało sens? – szepcze.

Słychać kroki. Szybko prostuje się i ociera łzy. Jest przełożoną, nikt nie powinien widzieć chwili jej słabości.

Kiedy dzwoni telefon, głośno powtarza, co mówi osoba po drugiej stronie. Demonstruje, na czym polega posłuszeństwo.

– Nie, siostra nie może jutro wyjść. Jutro jest nasze święto i chcę, żebyśmy spędzili wspólnie czas. Nie, siostra nie zdąży. Czy może być tak, jak mówię? – Nikodema odchyla słuchawkę i słychać głos: „Skoro tak być musi...". Przełożoną ta odpowiedź denerwuje. – Ale czy MOŻE być tak? – mówi z naciskiem. – Może?! To świetnie.

Uważa, że siostra powinna przyjąć zmianę planów nie jako narzuconą z góry, tylko jako to, czego sama chce i co z radością przyjmie. Na tym polega posłuszeństwo – wola przełożonego staje się twoją wolą. To właśnie chciała osiągnąć tą rozmową.

Siostra pod drugiej stronie słuchawki nie była jednak szczęśliwa.

– Pogodzi się z tym. Będzie trochę zła, ale się pogodzi – mówi Nikodema. I dalej tłumaczy, że na drodze do posłuszeństwa nie mogą stać nasze emocje. Człowiek jest słaby i może błądzić. I jeśli Nikodema mówi do siostry jako przełożona, jako istota Boska, to tamta ma po prostu wykonać polecenie. Nie musi wiedzieć po co. Musi wykonać dla Jezusa. I powinna się z tego cieszyć. I nawet jeśli przełożona nakaże siostrze posadzić drzewko korzeniami do góry albo umyć okna w deszczu, to ona ma to zrobić. Jeśli uważa, że to bez sensu, niech lepiej odejdzie.

Nie tylko siostry muszą wykonywać polecenia Nikodemy. Przełożona właśnie dzwoni, żeby przyniesiono dla mnie obiad. Choć już dwukrotnie odmówiłam. Odmawiam więc kolejne dwa razy. Mówię, że nie chcę robić kłopotu, zjem w domu. Nie mam szans. Nikodema wyjmuje porcelanową zastawę. Mówię, to tylko symbolicznie. Dostaję ogromną porcję. Nie mam szans.

Kiedy słyszy, że rozmawiałam z byłymi siostrami, krzywi się:

– Te, które odchodzą, są bardzo rozgoryczone. Mówię, że mają ku temu powody. Że przecież zdarzają się trudne sytuacje w zgromadzeniach. Czy Kościół jakoś na nie reaguje? Czy zakony podejmują refleksję, robią coś, aby im zaradzić? Kto mógłby na te pytania odpowiedzieć?

– Żaden grzesznik nie będzie chciał obnażać swoich grzechów – mówi tonem z żelaza Nikodema. – Zwłaszcza przed obcymi. Nikt nie będzie rozmawiał.

Ona też już nie będzie rozmawiać, bo nie wyobraża sobie książki, w której pojawią się obok siebie byłe i obecne zakonnice. Odradza pisanie. Zgrzyta klasztorna brama. Proszę zostawić ten pomysł, nic dobrego z niego nie wyniknie.

DOMINIKANIE

Byłe siostry potwierdzają słowa Nikodemy.

– Ze zwykłą zakonnicą nie porozmawiasz. Musi mieć zgodę przełożonej. A ta Matki Generalnej. Nie można tak po prostu udzielić wywiadu do książki. Anonimowo też nie, bo to nieposłuszeństwo – tłumaczy Iwona.

– Możesz powiedzieć, że chcesz wstąpić – zachęca Dorota.

– Jestem pewna, że będą ci zachwalać życie zakonne i powiedzą, że jest wspaniale. Mnie też tak mówiły.

– Za bramę zawsze z uśmiechem. Nie wolno nic powiedzieć na swoją zakonną rodzinę – przypomina Agnieszka.

Może bracia będą bardziej otwarci na rozmowę? Dominikanie? Albo jezuici? Albo salezjanie? Poleceni mi jako „mądrzy", zakonnicy odsyłają mnie do swych mistrzów, u których przechodzili formację i których uważają za jeszcze mądrzejszych. Umawiam się więc z mistrzami. Pierwsi przyjmują mnie dominikanie.

Witają bez habitów, w dżinsach i koszulach. Od razu wpuszczają za klauzurę, żeby wygodnie usiąść w refektarzu. Zanim wejdę do toalety, jeden z ojców na wszelki wypadek sprawdza jej stan. Jest czysto, tylko na podłodze leży stos ubrań, których ktoś jeszcze nie wrzucił do pralki. Swojsko, jak w domu.

Ojcowie proszą o anonimowość. Powody są dwa. Po pierwsze, nie chcą koncentrować uwagi na sobie, tylko na tym, o czym będą mówili. Po drugie, często głoszą dla sióstr konferencje, czyli specjalnie zamówione wykłady, biorą udział w rekolekcjach, są też ich spowiednikami. Nie chcą w żaden sposób wskazywać zakonnic, z którymi mieli lub mają kontakt. Ale uważają, że trzeba powiedzieć, co się dzieje, bo oni też czują się bezradni.

– Niby ten sam Pan Jezus. Ta sama Ewangelia. Ale jesteśmy absolutnie daleko. Żyjemy w dwóch rzeczywistościach. Nie rozumiemy się.

– Głosiłem Ewangelię, ale nie wiedziałem, do kogo głosiłem. Nie miałem pojęcia o tym świecie. Chciałem pomóc. Mówiłem: „Dobrze by było, gdyby siostra wypoczęła". Myślałem, że będzie tak jak u mnie: pójdę do przeora, wezmę dzień urlopu, pospaceruję po lesie, popływam w basenie. Ale dla niej to było niewykonalne. Jak mogłaby odmówić wykonania swoich obowiązków choć przez jeden dzień? Przecież zmęczenie nie jest żadnym usprawiedliwieniem, przełożona by się nie zgodziła. Nie wiedziałem o tym. Złościłem się, że nie odpoczywa i jest coraz bardziej przepracowana. A ona na mnie, że nie mam pojęcia o jej życiu. Nie okazywała mi tego, bo przecież zakonnicy nie wolno złościć się na księdza. A ja nadal nic nie rozumiałem. Kto chce pomóc, musi zrozumieć siostry, ich życie, sposób myślenia.

– Z czego to wynika? Być może z różnic pomiędzy męskim światem a kobiecym. My nie zajmujemy się detalami: czy domyta podłoga, czy firanka prosto, czy habit nie pomięty. Nikt tu nie prasuje, nie lubimy, szkoda nam czasu. Kiedy zapytała pani o toaletę, sprawdziłem, czy jest czysto. Gdyby gościem był inny mężczyzna, nie zrobiłbym tego. A siostry nie musiałyby zaglądać, bo tam na pewno można nawet jeść z podłogi.

– Sami tu gotujemy i sprzątamy. Coś nie do końca zrobione albo obiad przypalony – wymienimy trzy zdania, a u sióstr to problem na cały dzień, czasem tydzień. Skupiają się na drobiazgach. Ale wokół tych małych spraw mogą się rozegrać prawdziwe dramaty.

– Mężczyźni też się prześcigają i rywalizują, ale inaczej. U sióstr jest zawiść ukryta pod uśmiechem, a pod spodem się gotuje. Facet za długo w takim napięciu nie wytrzyma, więc wybuchnie, coś powie. Być może to stereotypy, ale siostry same je wzmacniają. Podkreślają swoją kobiecą naturę.

– Siostry są rzetelne, solidne, flaki sobie wyprują, ale zrobią wszystko perfekcyjnie. My, mężczyźni, łatwiej się dystansujemy, często nie robimy czegoś na sto procent, a one z marszu we wszystko się angażują. W konstytucjach też każda rzecz jest dla nich tak samo ważna, żadnej nie odpuszczą, nawet jakiegoś przepisu sprzed wieku, który dawno stracił znaczenie.

– Spotkałem loretankę, miała taki welon z dachem. Mówię: wy pewnie szybko to zmienicie, bo to nie ma sensu. Obraziła się, bo u nich strój zakonny zrósł się z ich tożsamością.

– My już od dawna nie nosimy na co dzień habitów. A u dominikanek kilka lat zajęła reforma samego welonu! I to teraz, niedawno, a nie pół wieku temu, po soborze. Zdumiewające.

– Prowadziłem kiedyś cykl szkoleń dla sióstr przełożonych. W ramach zajęć zaplanowano wizytę w szpitalu psychiatrycznym. Mieliśmy być bez habitów, żeby nie wywołać konsternacji wśród chorych. Siostry uprzedzono o tym na miesiąc wcześniej, żeby mogły się przygotować – znaleźć jakieś ciuchy, doprowadzić włosy do porządku. Ale dla nich założenie świeckich ubrań na jedno przedpołudnie było prawie niewykonalne. Bez habitu czuły się nagie. Chciały, żebym im towarzyszył w drodze do szpitala. Miałem iść przodem, a one za mną. Pytały: ale nie będziesz się z nas śmiał? Dorosłe kobiety, dojrzałe, świadome.

– Miałem kiedyś rekolekcje dla sióstr. Powiedziałem: żyjcie w zgodzie z sumieniem. A one na to, że musiałyby wystąpić, bo pracują z trzema księżmi, którzy traktują je jak szmaty. Więc co z tego, skoro nie mogą nic zmienić?

– Niektórzy wśród nas, księży, mówią wprost, że zakonnice to współczesne niewolnice. Chciałbym, żeby było inaczej. Nie znoszę, kiedy siostra się wobec mnie usłużnie zachowuje, bo chcę być z nią jak brat. Ale kiedy poznałem misjonarkę, która traktowała mnie jak równego sobie, to czasem i dla mnie było to dziwne. Bo okazało się, że ja też przywykłem. Bo tak jak ktoś ciebie traktuje, tak ty potem siebie. Każdy się przyzwyczaja, i siostra, i ojciec.

– Ksiądz zawsze ma z czego żyć. A one nic nie mają. Są zależne od proboszcza mężczyzny. Służą mu, są organistkami, zakrystiankami, czasem katechetkami. Przecież siostra, żeby uczyć religii, musi mieć misję kanoniczną, a od kogo ją dostaje? Od biskupa. Dla niektórych księży zakonnice są tylko służącymi. Traktują je gorzej, bo są kobietami i do tego nie realizują się nawet w podstawowej roli, w której Kościół widzi kobiety: nie rodzą dzieci.

– Wielu księży, zwłaszcza diecezjalnych, ich nie rozumie. Nie rozmawiają z nimi, nie uwzględniają ich rytmu dnia, nie biorą opinii pod uwagę, nie pozwalają o niczym decydować.

– Niestety, na kapelanów sióstr najczęściej są wyznaczani ci, z którymi nie ma co zrobić. Bardzo zaplątani ludzie. Inni unikają zakonów żeńskich. Ja też nie chcę spowiadać sióstr, choć nagminnie mnie o to proszą. Nie dokonam żadnej zmiany. Nie mam na nic wpływu. Orka na ugorze. Dlaczego? Wolność to istota chrześcijaństwa. Jeśli im będę o tym mówić, postawię je wobec ogromnego dylematu: przestrzegać ślubu posłuszeństwa czy iść za głosem sumienia. A głos sumienia zaraz wyprowadzi je z zakonu.

– Dodajemy siostrom odwagi, żeby spojrzały na przełożoną jak na człowieka.

– Święty Dominik mówił: nie chcę mieć niewolników. U nas posłuszeństwo jest głęboko dialogiczne. Bracia dyskutują, a przełożony stara się ukazać sens swojej decyzji. Może oczywiście wydać rozkaz formalny, którego nie wolno złamać, ale jest to niezwykle rzadkie. Nikomu nie zależy na zaostrzaniu konfliktu. A u sióstr przełożone zawsze odwołują się do woli Bożej, z którą nie wolno dyskutować. Nawet dekret o zmianie placówki jest u nich wolą Bożą. Znam kilka zakonów męskich i jest inaczej. Księża diecezjalni, choć boją się biskupa, też mają wiele wolności. A siostry same siebie inwigilują. I to wynika z ich miłości do Pana Boga oczywiście. Wszystko z troski o dobro i zbawienie. Ja bym nawet miesiąca nie wytrzymał.

– W zakonach męskich jest inaczej. Siostra opowiadała mi o takiej sytuacji: chciała pójść na cmentarz i odwiedzić grób znajomej, akurat była w okolicy. Przełożona nie wyraziła zgody, nie wyjaśniła dlaczego. Ja nie musiałbym prosić o pozwolenie. Powiem więcej – gdybym zapytał o tak małą rzecz, pokazywałoby to moją niedojrzałość.

– A ja jako przełożony zdziwiłbym się, że nie potrafi sam zadecydować. Zaniepokoiłby mnie ten brak samodzielności.

– My, dominikanie, mamy strukturę demokratyczną. To jest bardzo trudne, bo każdy jest indywidualnością. Mogę się z bratem nie zgadzać, ale potem, podczas kapituły, jego głos waży tyle samo, co mój. Gadamy więc tak długo, aż znajdziemy rozwiązanie. Ideałem jest konsensus. Życie w jedności, która jest różnorodnością, jest dla nas oczywiste. Dlatego tym bardziej nie rozumiemy nadużywania władzy w zakonach żeńskich. Wiemy od sióstr, jak daleko są w stanie posunąć się ich przełożone. Uważamy, że to nieludzkie.

– Siostry na każde wyjście na zewnątrz i zaangażowanie się w cokolwiek potrzebują pozwolenia. Nawet na spotkania wspólnoty modlitewnej. A ksiądz – nawet jak nie chcesz, to cię gdzieś zaproszą mszę odprawić, i już coś poznajesz, rozwijasz się, bywasz w nowych światach.

– Sobór Watykański II bardzo głęboko zreformował życie zakonne, ale w Polsce tylko męskie. W zakonach żeńskich zatrzymał się czas. Wszystko, co przed wiekiem zostało zapisane w konstytucjach, jest tak samo ważne i dziś. Co gorsza, siostry nie mają ani formacji intelektualnej, ani duchowo-moralnej. To jest fundamentalny problem: czysto pobożnościowa formacja. A to zabójcze. Sami głęboko pobożni zabili Jezusa, przekonani, że słusznie skazują bluźniercę. W zakonach męskich formacja intelektualna jest bardzo ważna, zarówno nauka doktryny, jak i teologii moralnej. Już od Soboru Trydenckiego, czyli od XVI wieku, wszystkie zakony męskie musiały mieć seminaria. Ja siostrom do pięt nie dorastam w litaniach, różańcach, medytacjach. Ale wiara to coś więcej. Głęboki kontakt z Panem Bogiem. Używanie rozumu. Bez niego mamy naiwność albo fanatyzm.

– W zakonie każdy z nas, i ja, i siostra, musi zbudować swoją relację z Bogiem. Boga nie widać. Bóg nam nie da pokuty. Trzeba się z Nim ułożyć, odnaleźć Go w swojej pracy, służbie. Oboje chcemy jak najlepiej spełniać nasze obowiązki. Tylko siostry są rozliczane z tego, co zewnętrzne: ile godzin klęczą w kaplicy, jaką mają postawę, gdy się modlą, czy noszą habit. Ich dramatem jest, że przy tak ogromnej dbałości o spełnienie zewnętrznych wymagań nie mają już przestrzeni na życie duchowe. Nie starcza im sił i czasu na zaangażowanie w relację z Bogiem, relację mało uchwytną, której nie da się rozliczyć. Nie czerpią więc z niej energii. I wtedy pojawia się duży kryzys. Część z nich wówczas odchodzi.

– Najłatwiej je potępić, bo odejścia z zakonu są trudne dla tych, co zostają. U nas nie jest to tabu, ale też jesteśmy w tym nieporadni. Kto lepiej zrobił: ten, co odszedł, czy ja, który został? On był przecież gorliwszy niż ja. Po wyjściu z zakonu potrzebne są dwa, trzy lata terapii, żeby się posklejać. Nawet jeśli się spędziło tam tylko nowicjat. Dla sióstr odnalezienie się w świecie jest jeszcze trudniejsze niż dla braci. Zakonnice często żyją tylko w świecie klasztoru, niektóre w ogóle nie wychodzą na zewnątrz. Muszą wszystko kontrolować: jak chodzą, jak trzymają ręce, jak biorą filiżankę, jak się uśmiechają. Mężczyzna jak siada, to siada. A ona stale myśli, jak będzie lepiej. Założyć nogę na nogę? Usiąść bokiem? Czy prosto ze zsuniętymi kolanami? Tak będzie najskromniej. Więc tylko tak! Każda czynność staje się rytuałem, od którego nie ma odstępstw. Potem trudno im się z tego wyzwolić. Miną miesiące albo lata, zanim będą się swobodnie czuły wśród innych ludzi.

– Znam wiele fantastycznych sióstr, które tak samo dobrze jak ja sprawdziłyby się w duszpasterstwie akademickim. Mógłbym je powołać, ale przełożone ich nie puszczą. Boją się, że zakochają się w jakimś bracie.

– Siostry są nieufne wobec przyjaźni. Zwykłe gesty, takie jak przytulenie, są dla nich podejrzane. U nas przyjaźnie są fundamentalne.

– Dla mnie męska przyjaźń to braterstwo. Razem gramy w piłkę, wspinamy się w górach i siłujemy, ale możemy też przytulić się, wypłakać. Nie ma erotyzmu, pożądania, ale jest potrzeba bliskości, dotyku, wsparcia.

– Tak jak siostry ślubowaliśmy czystość. Ale już w trakcie formacji dużo mówimy o tym, jak sobie radzić z własną seksualnością, co jest grzeszne, a co nie. Potem też uczciwie ze sobą rozmawiamy. Seks nie jest u nas tematem tabu, nie ma naiwności ani demonizowania. Jesteśmy otwarci, zdarza się, że dyskutujemy o tym nawet przy obiedzie, oczywiście nie naruszając intymności braci. U sióstr temat nie istnieje. A przecież nie są aseksualne.

– Dla mnie Chrystus to mistrz, brat, towarzysz, przyjaciel. Nie umiem myśleć Oblubieniec. A kobietom to się łatwo przekłada. Wchodzą w relację z Jezusem jak w relację damsko-męską. Ale bardzo szybko okazuje się, że Jezus jest Bogiem, nieuchwytnym duchem. Im bardziej liczę, że mi się odwzajemni, tym większe moje rozczarowanie. Relacja fizycznego bytu zadającego się z duchem nie ma tego wymiaru cielesnego, dotyku, kontaktu, bliskości, przytulenia. Każdy tego potrzebuje. Pojawia się pustka, którą coś musi wypełnić. Jeśli mądrze do tego podchodzisz, świadomie, delikatnie, masz szansę uporządkować cielesne potrzeby. Uniknąć destrukcji.

– Siostry żyją w ciągłym poczuciu winy, że są nie takie, jak powinny, za dużo pracują, nie mają z nikim bliskich więzi. Wiele z nich dostrzega absurdy, w których muszą trwać. To normalne, że w takiej sytuacji pojawia się ogromny głód bliskości, którego nie są w stanie stłumić. Wtedy faktycznie, jeśli ktoś przytuli, zrozumie, okaże czułość, szybko pojawi się uczucie.

– Siostry mają swoją autonomię. Tylko one mogą zmienić konstytucje. Ksiądz nie jest w stanie na to wpłynąć. Musiałyby same siebie przekonać, że zmiana jest dobra. Uwierzyć, że współczesność nie jest przeciwko nim.

– Czasem siostry wolą księży nieświadomych. Sztywna struktura, którą mają, chroni je przed ingerencją z zewnątrz. Chcę być dla nich jak najlepszym dominikaninem. Nie ingerować, nie sugerować nachalnie zmian. Mogę być tylko bodźcem. Inaczej okażę swój brak szacunku, a one się usztywnią i będą podejrzewać, że chcę coś podważyć i zniszczyć.

– Nie da się nic zmienić z zewnątrz. Możemy jak najlepiej spowiadać i kazać, ale ich los jest w ich rękach.

– Znam fajne i rozsądne siostry, ale one nie mają żadnej władzy. Pozostaje mieć nadzieję, że kiedyś to się zmieni.

– Łapię się na tym, że złoszczę się na nie, ale też chcę im służyć. Siostra prosi o rozmowę, pyta: czy jestem normalna? Mówię: jesteś. Mogę być przeciwwagą, rzucić światło na pewne kwestie. Na początku bada mnie, co zrobię. Czy odrzucę, pogardzę, nadużyję. Czy też przyjmę, zrozumiem, wyjaśnię. Będę współodczuwać. Będę towarzyszyć. Wówczas być może stanę się jej przewodnikiem, który swoje ścieżki też przeszedł. Kocham siostry, mam do nich słabość. Ale nie byłbym w stanie żyć jak one. Normalnie, kiedy spowiadam półtorej godziny, to dłużej już nie mogę. A siostry spowiadam nawet sześć godzin i nie jestem zmęczony! Chciałbym je wesprzeć. Nie czekam na szybką zmianę, na to, żeby poszły za tym, czego chcę. Często jestem bezradny. Nic nie mogę zrobić. Tylko okazać moją miłość i troskę.

Matka Celestyna i duch soboru

Sobór Watykański II odmienił życie dominikanów. Byłe siostry mówią: – My zostałyśmy w czasach przedsoborowych. Żeby zrozumieć, co mają na myśli, trzeba cofnąć się do pierwszej połowy XX wieku.

„Przedsoborowe" to żarliwe, radykalne, tradycyjne. Przedsoborowy jest strój zakonny całkowicie zakrywający ciało. Wełniane habity do ziemi, często krojem wywodzące się jeszcze ze średniowiecza. Bindki jak kominiarki szczelnie okalające głowę powłóczyste welony, niczym tren sukni spływające do ziemi, albo wręcz przeciwnie, welony sztywne i twarde jak hełmy. Nieprzewiewne, ciężkie, w lecie mokre od potu.

Przedsoborowe są reguły zakonne wymagające całkowitego zniknięcia dla świata. Nie wolno odwiedzić rodziny, nawet gdy prosi o to chora matka, nie wolno pójść na jej pogrzeb. Jedyna więź, która ma prawo istnieć, to ta łącząca zakonnicę z Oblubieńcem.

Przedsoborowe jest całkowite posłuszeństwo wobec przełożonych, aż do oddawania im czci poprzez całowanie stóp. Przedsoborowe jest myślenie, że siostrę zakonną trzeba skrępować regułami, bo inaczej odda się pokusom. Im sztywniejszy gorset zasad, tym mniej ruchu, tym większa kontrola nad jej myślami, mową i uczynkami. Zakonnicy nie wolno przebywać sam na sam z mężczyzną, nawet księdzem. Konieczne jest towarzystwo jeszcze kogoś. Najlepiej, żeby spała w celi zaryglowanej od zewnątrz. W ramach umartwienia bez poduszki, pościeli, leżąc na wznak z rękoma skrzyżowanymi na piersiach. Koc zaciągnięty pod brodę, nogi prosto. Gdyby jednak obudziła się w innej pozycji, powinna wyznać to wspólnocie podczas codziennych aktów i przyjąć pokutę.

Siostry winny wystrzegać się dotyku, stosowny jest tylko formalny uścisk przy powitaniach i pożegnaniach. Podczas rekreacji niech kierują się zasadą „rzadko jedna, nigdy dwie, zawsze trzy lub więcej". Nie wolno im posiadać jakichkolwiek dóbr, własnych pieniędzy, innych ubrań niż habit. O wszystko trzeba poprosić – o bieliznę, wyjście na spacer, zgodę na przeczytanie książki.

Przełożona ma prawo czytać listy podległych jej sióstr przed wysłaniem i oceniać, czy nie ma w nich nic niestosownego. Powinna sprawdzać również te, które przychodzą, i w razie potrzeby je konfiskować, zwłaszcza jeśli zachodzi podejrzenie, że mogą prowadzić do grzechu. Jeśli mimo tych środków zaradczych pojawią się pokusy, należy zwalczać je biczowaniem, lodowatym prysznicem lub noszeniem między nogami zanurzanego w zimnej wodzie ręcznika.

Piszą o tym we wspomnieniach siostry, które posługę odbywały w latach 50. W taką rzeczywistość uderzył Sobór Watykański II, zwołany przez Jana XXIII w 1962 roku. Zarządzono całkowitą odnowę, czyli po włosku *aggiornamento*. Zakony miały przystosować się do współczesności.

„Trzeba dokonać przeglądu konstytucji, dyrektoriów, ksiąg zwyczajów, modlitewników, ceremoniałów i innych książek tego rodzaju, a po usunięciu przepisów przestarzałych dostosować je do dokumentów wydanych przez ten święty Sobór" – napisali Ojcowie w Dekrecie o przystosowanej do współczesności odnowie życia zakonnego. Nakazali też zmienić strój na prosty, skromny, zgodny z wymaganiami higieny i dostosowany do czasów współczesnych. Odczytano to jako zachętę do zrzucenia habitów. Część sióstr założyła stroje świeckie, z początku długie spódnice, z czasem spodnie. Inne zmieniły welon na krótki i niezakrywający uszu i wprowadziły lekki, przewiewny habit na lato – już nie czarny, lecz szary lub niebieski.

Sobór przypieczętował też zmianę, która w wielu miejscach już się dokonała: umożliwiono modlitwę w językach ojczystych i zniesiono chóry, czyli podział sióstr na wykształcone, lepiej urodzone, i te z warstw niższych. Pierwsze brały udział we wszystkich praktykach religijnych i wykonywały lżejsze obowiązki, a drugie miały tylko krótką modlitwę, a potem pozostałe prace na rzecz zgromadzenia – zwykle fizyczne.

To była rewolucja. Każde zgromadzenie mogło samo zdecydować, na ile wolności pozwoli! Zakonnice w Europie, Stanach Zjednoczonych, Kanadzie i innych krajach zakwestionowały utrwalony porządek. Pozwolono siostrom na posiadanie pewnej sumy pieniędzy – kieszonkowego – na najważniejsze potrzeby, na korzystanie z telefonu i komputera. Zrezygnowano z wymogu trzeciej osoby przy kontaktach z mężczyznami. Położono nacisk na kształcenie, wysłano na uniwersytety, rozwijano talenty. W wielu krajach zakonnice stały się sporą częścią kadry pedagogicznej szkół, ucząc nie tylko religii, ale i wszystkich innych przedmiotów. Siostry mogły zacząć odwiedzać rodzinę i mieć przyjaciół poza klasztorem. Posłuszeństwo zaczęło zamieniać się w dialog. Przełożona utraciła władzę absolutną.

„Posoborowe" znaczy więc: bardziej współczesne, otwarte, wolne. Mniej oparte na ślepym posłuszeństwie, bardziej oddające człowiekowi odpowiedzialność za swoje sumienie.

Nie wszystkie zakonnice przyjęły zmiany z radością. Część, która przez wiele lat żyła zgodnie z surowymi regułami, chciała, by pozostały one nienaruszone. – Nie do takiego zgromadzenia wstępowałam – mówiły. Te, które nie mogły się z tym pogodzić, wystąpiły. Furtkę zostawił im sobór, ogłaszając, że życie świeckie nie jest gorsze niż zakonne. Pozostałe podjęły trud odczytania na nowo swojego charyzmatu, czyli celu, w jakim zostały powołane. I ruszyły we współczesność, wierząc, że On pozwoli im się w niej odnaleźć.

O posoborowych przemianach opowiedziała w 1997 roku wikaria generalna felicjanek siostra Celestyna Giertych w wywiadzie *Bóg nie chce, żebyśmy były wycieraczkami* dla miesięcznika „W drodze". Siostra Celestyna jest Polką, ale do zgromadzenia wstąpiła w 1957 roku w Kanadzie. Tam spędziła dalsze życie. Kiedy była nowicjuszką, zakonnice żyły w zupełnym oderwaniu od świata. Rodzinę mogła zobaczyć pierwszy raz po dziewięciu latach, po ślubach wieczystych. Wcześniej żadnych odwiedzin:

> Po dwóch latach mojego nowicjatu przyjechał do Kanady mój brat Maciek. Szedł długo w deszczu. Mistrzyni przyniosła mi jego zabłocone buty do wyczyszczenia. Mogłam wyczyścić jego buty, ale nie mogłam iść z nim porozmawiać. Wielkodusznością z jej strony było również to, iż pozwoliła mi zadzwonić na Anioł Pański, poza moją kolejką, po to, żeby brat mógł na mnie popatrzeć.

Po soborze zgromadzenie przeobraziło się w duchu *aggiornamento*. Siostra Celestyna opowiadała, że od lat nie nosi habitu, odwiedza swoich przyjaciół, chodzi do kina, jeździ na rowerze, pływa, spędza wakacje pod namiotem. Dodała, że tych praw do dziś nie mają felicjanki w Polsce. Że u nas sióstr się nie docenia, pomiata się nimi i przestawia jak pionki na szachownicy. Nie można być sobą, podjąć żadnej decyzji. Przełożone rządzą twardą ręką, w dawnym stylu, nie licząc się ze zdaniem innych. Że ona sama nie chciałaby być felicjanką w Polsce.

Po opublikowaniu wywiadu zawrzało. Miesięcznik „W drodze" wydrukował głosy protestu. Wśród nich siostry Immaculaty, która napisała, że polskim zakonnicom winno się być wdzięcznym, bo przetrwały pięćdziesiąt lat komunizmu w służbie Bogu, Kościołowi i Ojczyźnie, a nie je krytykować. Felicjanki na szczęście ustrzegły się posoborowych zmian, bo na Zachodzie nie ma powołań, a w Polsce wciąż są – podsumowała.

Co na to siostra Celestyna? Już w wywiadzie zapytał ją o to redaktor: „Słyszy się u nas: ci na Zachodzie nie mają powołań, ale się wymądrzają, co zrobić z młodymi...".

„Można nam coś takiego zarzucić" – odpowiedziała. „Prawdą jest, że chciałabym te młode siostry mieć. Nie oznacza to jednak, że nie mam rozumu, oczu i uszu do słuchania. Wiem, że jeśli się coś tu nie zmieni, to wątpię, czy one wszystkie dożyją w zakonie swej starości".

Dodała, że w Kanadzie siostry są szczere, złoszczą się, mówią prawdę prosto w oczy. A w Polsce uśmiechają się i dają kwiatki, ale nie jest w stanie odgadnąć, co o niej myślą. Po wywiadzie musiało się to zmienić. Sześć miesięcy później siostra Celestyna zdecydowała się przeprosić polskie felicjanki na łamach „W drodze" za „ból, który mogła im zadać swoimi wypowiedziami". „Modlę się do Boga, aby w swym miłosierdziu zabliźnił ich rany" – pisze we wstępie do długiego i osobistego artykułu o tym, co dla niej znaczy być zakonnicą. W kilku miejscach podkreśla, jak ważne jest być sobą i żyć w prawdzie.

Co powiedziałaby dzisiaj? Internet szybko podpowiada, że siostra Celestyna jest teraz Matką Generalną felicjanek. Piszę, że przygotowuję książkę i że chciałabym ją zapytać, jak obecnie widzi sytuację w Polsce.

Odpowiedź przychodzi następnego dnia:

Dear Marta
I am sorry but I did not wish to make any comment.
Please interview sisters of various Congregations currently working in Poland for your research.
God bless

Sent from my iPhone

(Droga Marto, przepraszam, ale nie chciałabym komentować. Proszę, zapytaj o to siostry z różnych zgromadzeń pracujące obecnie w Polsce. Z Bogiem)

Mistrzyni postulatu

Na pewno gdzieś istnieją siostry, które będą chciały rozmawiać. Proszę o pomoc moją przyjaciółkę z Caritasu. – Ja nie poznałam wielu sensownych zakonnic – odpowiada. – A wierz mi, poznałam ich mnóstwo. Ciężko będzie. To musiałby być jakiś zakon w duchu posoborowym, znam takie we Francji, we Włoszech, ale w Polsce żadnego. Tamte zachodnie czasem wysyłają siostry do Polski, ale to są zupełnie inne zgromadzenia. Zreformowane – ostrzega.

Dostaję mejl do siostry Anny, mistrzyni postulatu w zgromadzeniu Matki Bożej z Syjonu. Czyli Notre Dame de Sion, bo zgromadzenie pochodzi z Francji. Dziś jest obecne w ponad dwudziestu krajach świata, od dwunastu lat także u nas. W Polsce mieszkają na razie tylko cztery siostry.

Umawiamy się w kawiarni. Rozglądam się, ale nie ma żadnej zakonnicy. Uśmiecha się do mnie za to jakaś pani ze stolika w rogu. Ładnie ubrana, wszystko dopasowane, eleganckie, delikatne. Beżowe spodnie, błękitna bluzka, apaszka. Odgarnia długie włosy, nie są niczym spięte. Czy tak normalnie może wyglądać zakonnica?

– Siostra jest bez habitu? – pytam głupio.

– Habit oddziela. Takie mam doświadczenie, więc go nie noszę. Nasze zgromadzenie pochodzi z Francji, po Soborze Watykańskim II większość sióstr zdjęła habity. Według Konstytucji mamy nosić strój stosowny do danej epoki. Mogą więc być spodnie. A w ogóle mówmy sobie po imieniu.

– Jasne. Wracasz z wykładu? – zagaduję.

– Prowadziłam wykład o judaizmie u dominikanów. Staram się pokazać, jak tradycje żydowska i chrześcijańska ze sobą się łączą. Tym właśnie zajmuje się nasze zgromadzenie. Konstytucje przypominają nam, że jesteśmy, aby świadczyć w Kościele i świecie o wiernej miłości Boga do narodu żydowskiego. Część sióstr pracuje w Izraelu, tam w XIX wieku założyły szkoły, do których chodziły dzieci muzułmańskie, żydowskie i chrześcijańskie. Zajmujemy się dialogiem międzyreligijnym. Dlatego siostry muszą być dobrze przygotowane do pracy. Kładziemy nacisk na edukację, studia i znajomość języków obcych. Ja skończyłam teologię, biblistykę, studiowałam psychologię.

Tego się nie spodziewałam. Tyle usłyszałam o niechęci matek przełożonych do kształcenia siebie i swoich zakonnych córek. A już prowadzenie wykładów dla księży i zakonników? To się nie zdarza. Chcę w takim razie jeszcze sprawdzić, jak siostry Matki Bożej z Syjonu radzą sobie z innymi wyzwaniami. Pytam więc po kolei o wszystkie trudne kwestie. Pierwsza: kto płaci za kawę siostry Anny?

– Mamy kieszonkowe. Same dzielimy pieniądze. Ustalamy jakąś sumę rzędu dwustu złotych, którą każda ma dla siebie i może za nią kupić rajstopy, apaszkę, dżinsy czy telefon. Rzeczy pierwszej potrzeby, jak lekarstwa i ciepłe buty, idą z pieniędzy zgromadzenia. Razem ustalamy budżet wspólnoty na każdy rok. Uczymy się tego już na etapie formacji. Zastanawiamy się, czego potrzebujemy – kurtki czy swetra – i wysyłamy propozycje do siostry ekonomki, która kalkuluje, czy nas na to stać. Kiedy zostałam zaproszona na wykład do Gdańska, zapytałam przełożoną, czy powinnam jechać. Po pierwsze, nie będzie mnie kilka dni; po drugie, muszę kupić bilet. Odpowiedziała, że oczywiście, a skoro mieszka tutaj moja siostra, to żebym koniecznie się z nią spotkała.

A więc można bez przeszkód spotkać się z rodziną! Pytam dalej:

– Siostry mówiły, że trudno pogodzić pracę z kilkoma godzinami modlitwy. Jak jest u was?

– Modlimy się wspólnie wtedy, kiedy mamy na to czas i przestrzeń. Zależy nam na tym, więc razem ustalamy taką porę dnia, żeby była dla wszystkich dogodna. Oprócz tego mamy modlitwę indywidualną. Każda z nas jest za nią odpowiedzialna w swoim sumieniu.

– Jedna z zakonnic opowiadała mi o sytuacji, kiedy samochód przełożonej stał pod domem i nie mogła go użyć, a codziennie szła piechotą do szkoły trzy kilometry.

– Nie mamy „własnego" samochodu. To znaczy, mamy wspólny. Musimy się dogadać, która i kiedy go potrzebuje. Mamy też komputer, internet, komórkę. Każda z nas może z nich korzystać, ale też oczekujemy w zamian za to otwartości. Podziel się, jak w rodzinie. Powiedz, czym żyjesz. Bo chcemy być rodziną, a nie instytucją. Rodziną w ramach instytucji. Dlatego jeśli dowiaduję się, że nowicjuszka codziennie rozmawia godzinami przez komórkę i nie wiem z kim, to się niepokoję. Wtedy idę i rozmawiam: Co się dzieje? Czy masz jakieś kłopoty?

– I co robisz? Wymagasz posłuszeństwa?

– Jest dialog. Bycie przełożoną to trudna sprawa, trzeba dyskutować, uzgadniać, szukać kompromisu. U nas siostry nie chcą zarządzać, bo to dodatkowa praca, a można przecież książkę poczytać. Wiele decyzji możemy podejmować same, nie musimy o wszystko pytać.

– Więc nie wymagasz na przykład, żeby postulantka pokazała ci, co przyszło w paczce od rodziny?

– Nie trzeba mówić, co się dostaje. Jeśli chcesz się czymś podzielić, zrobisz to.

– Opalasz się?

– Oczywiście, jestem gdynianką. I kąpię się w morzu.

Do tej pory tylko jedna z moich rozmówczyń powiedziała mi, że w zakonie możliwe było uzyskanie specjalnej dyspensy na kąpiel w morzu. Pozostałe miały zakaz zdejmowania habitów. Niby błaha sprawa, ale decyduje nie tylko o tym, jak radzisz sobie w upał, ale też czy możesz uprawiać sport. Siostra Anna chodzi na basen.

– Ale zdajesz sobie sprawę, że w polskich zakonach jest inaczej? – pytam w końcu.

– Kiedyś podjechałam samochodem na szkolenie dla przełożonych, wysiadłam z walizką, w spodniach, ubrana tak jak teraz, i wszystkie siostry się rozstąpiły. Myślały, że będę prowadzić wykład. Ale kiedy przekonały się, że ja także jestem zakonnicą, część przestała się ze mną witać. Więc zdaję sobie sprawę, że nie wszędzie tak jest. U nas każda kandydatka zanim wstąpi do zgromadzenia, musi skonsultować się z psychologiem i, jeśli trzeba, podjąć najpierw terapię. Przychodzą bardzo różne osoby, niektóre nie odnajdą się w służbie Bogu, jaką my wybrałyśmy. Życie zakonne musi opierać się na wolności. Przymus się nie sprawdzi, skończy się wielkim wybuchem. To droga dla ludzi dojrzałych albo takich, którzy pragną się nimi stać.

WŁADZA W KOŚCIELE

Czy dominikanie mają rację, kiedy mówią o autonomii sióstr? Dorota, Joanna, Magdalena dziwią się: – Przecież zakony podlegają biskupowi, a ich konstytucje zatwierdza papież. Zakonnice są na samym dole kościelnej hierarchii.

Kościół katolicki bardzo dużo mówi o geniuszu kobiety. Jan Paweł II dostrzegał go „we wszystkich przejawach życia społecznego" (*Vita consecrata*). Podkreślał, że kobieta i mężczyzna są równi w swojej godności i że chrześcijaństwo ukazało to jako pierwsze. Przyznał, że „w dzieje ludzkości wniosły one wkład nie mniejszy niż mężczyźni" (*List do kobiet*). Ubolewał również nad tym, że „synowie Kościoła" w przeszłości dopuszczali się wobec kobiet gwałtów, przemocy i dyskryminacji.

Godność godnością, ale „dawczynie życia", „strażniczki domowego ogniska", „pierwsze wychowawczynie rodzaju ludzkiego" rzeczywiście nie otrzymały w Kościele władzy. Nie mają wpływu na decyzje podejmowane przez hierarchów, sobory, synody oraz episkopaty, nawet jeśli bezpośrednio dotyczą one kobiet. Wszystkie sprawy ludzkości są w Kościele w rękach mężczyzn.

Zgodnie z jego wykładnią wszelka władza – nauczania, rządzenia czy sprawowania sakramentów – należy się tylko tym, którzy otrzymali święcenia kapłańskie. Kobietom nie wolno ich przyjąć, a więc nie mają prawa głosu. O tym, kto może, a kto nie może być kapłanem, zdecydowali mężczyźni, którzy wywiedli swoją władzę z „Bożego ustanowienia" – tego, że Jezus przekazał ją apostołom, a ci kolejnym biskupom, aż do obecnego papieża. Mocą swojego autorytetu uznali, że nawet najpobożniejsza zakonnica nie może odprawić mszy ani przyjąć spowiedzi. Kiedy po Soborze Watykańskim II zaczęto podnosić kwestię dopuszczenia kobiet do kapłaństwa, dyskusję ostro przeciął Jan Paweł II. Oświadczył, że „postępowaniem Chrystusa nie kierowały motywy socjologiczne i kulturowe Jego epoki". Prawdziwa przyczyna leży w tym, że Chrystus chciał, żeby władzę w Kościele mieli mężczyźni. Orzeczenie to powinno być przez wszystkich wiernych Kościoła uznane za ostateczne – skonkludował papież w 1994 roku (*Ordinatio Sacerdotalis*).

Interpretacji tej jednak nie podzielają inni chrześcijanie. Kobiety mogą być pastorkami w kościołach protestanckich. Najwcześniej zostały nimi w Holandii (1929), Norwegii (1930), Danii (1948) i Szwecji (1958), w latach 70. – w Niemczech i Stanach Zjednoczonych. W 1971 roku ordynację kobiet przyjęli również anglikanie.

Tymczasem Watykan nie chciał dopuścić kobiet nawet w pobliże ołtarza. Kobieta, podchodząc do niego w innym celu niż komunia, popełnia grzech ciężki – dowodzono przez wieki. W 1970 roku Stolica Apostolska wydała instrukcję zabraniającą dziewczętom, mężatkom i zakonnicom posługiwać kapłanowi przy ołtarzu zarówno w kościołach, jak i w domach czy klasztorach (*Lithurgicae instaurationes*). Nie wolno im też było podczas mszy czytać Pisma Świętego. Do dziś posługa lektora jest zarezerwowana dla mężczyzn. W 1992 roku Watykan uznał, że kobiety też mogą być ministrantkami – ale tylko za zgodą biskupa danej diecezji. Jak podaje Zuzanna Radzik w książce *Kościół kobiet*, zaledwie połowa z nich zaaprobowała ministrantki.

Wykluczenie kobiet z kapłaństwa w Kościele katolickim jest jednocześnie odebraniem im jakiegokolwiek wpływu na jego decyzje. Zarówno Kodeks Prawa Kanonicznego, jak i inne dokumenty napisano tak, by ostateczny osąd należał do osób wyświęconych. Nawet zakonnice nie mają prawa głosu, gdy hierarchowie decydują o ich życiu. Kiedy Sobór Watykański II przygotowywał rewolucję w życiu zakonów, na sali byli sami mężczyźni. Ojcowie nie przewidzieli udziału kobiet, mimo że siostry stanowiły wówczas 80 procent całej społeczności zakonnej. Do teraz jest ich o pięćset tysięcy więcej niż braci.

Zwykła kobieta wydaje się mieć w Kościele wyższą pozycję niż zakonnica, ponieważ jest dopuszczona do sakramentu małżeństwa. Siostra składa tylko śluby, które mają status przyrzeczenia, a więc stoją niżej niż sakrament. Podobnie bracia, którzy nie obiorą drogi kapłańskiej, ale oni przynajmniej mają wybór.

Trzydzieści lat po Soborze Watykańskim II, w 1994 roku, zakonnice zaproszono na synod biskupów o życiu konsekrowanym. Dwudziestu przełożonym, wśród nich Matce Teresie, pozwolono wziąć udział w obradach, ale bez prawa głosu. Obserwowały więc, jak dwustu biskupów i ojców dyskutuje i decyduje, także w ich imieniu, o tym, jak ma wyglądać życie zakonne.

Przez lata kobiety usiłowały wywalczyć wpływ na decyzje hierarchów. W końcu dopuszczono je do różnych komisji i ciał doradczych. Zuzanna Radzik w *Kościele kobiet* liczy obserwatorki i konsultantki na soborach i synodach. Jest ich za mało, żeby miały realny udział we władzy.

W Konferencji Episkopatu Polski nie jest lepiej. Dokumenty, które wydaje episkopat, powstają między innymi w komisjach – Charytatywnej, ds. Instytutów Życia Konsekrowanego (czyli zakonów), Kultu Bożego i Dyscypliny Sakramentów, Duszpasterstwa, Nauki i Wiary, Wychowania Katolickiego i innych. Można do nich powoływać świeckich jako konsultorów, czyli doradców, ponieważ ostateczny głos i tak należy do biskupów. W sumie w komisjach zasiada sto osiemdziesiąt osiem osób (konsultorów i pełnoprawnych członków – biskupów), wśród nich osiem kobiet świeckich i siedem zakonnic. W komisji zajmującej się instytutami życia konsekrowanego na dwadzieścia dwie osoby są tylko dwie siostry.

Z pism Jana Pawła II i jego następców wynika, że Kościół oczekuje od kobiety tylko roli matki. Dopuszcza jeszcze dziewictwo, które jednak też jest macierzyństwem, ale duchowym. Zakonnice mogą nim objąć poprzez modlitwę nawet całą ludzkość.

Co pewien czas Kościół boleje nad tym, że kobiety nie mogą o niczym decydować. Mówi wówczas o potrzebie zmiany, o geniuszu, o specjalnym miejscu w dziejach ludzkości. Ale władzą się nie podzieli.

Zakonnice feministki

Są jednak na świecie siostry, które nie zgadzają się z rolą, jaką wyznaczył im Kościół, i głośno mówią o potrzebie zmian. Ich pozycja jest jednak zupełnie inna od tej, którą mają zakonnice w Polsce. Same na nią zapracowały.

Sytuację zakonnic w innych krajach opisała Zuzanna Radzik w książce *Kościół kobiet*. Zakony żeńskie na Zachodzie zreformowały się w duchu soborowego *aggiornamento* i włączyły się w walkę o równouprawnienie. Na świecie jest więcej otwartości wśród hierarchów na sprawy kobiet. Nie dotyczy to wyłącznie krajów europejskich czy Stanów Zjednoczonych, ale także Filipin czy Indii. W tych ostatnich, gdzie obecnie jest najwięcej powołań żeńskich, w 2010 roku biskupi razem z zakonnicami i feministkami stworzyli dokument dotyczący polityki równości płci, czyli *gender policy*. Podkreśla on, że problem przemocy wynika z dyskryminacji kobiet – autorzy nie wahali się wielokrotnie użyć słowa „gender". Hierarchowie postulują wprowadzenie teologii feministycznej i zajęć antydyskryminacyjnych dla księży, zakonników i zakonnic. I od razu robią to w największych seminariach.

Najdalej w swojej niezależności posunęły się zakonnice w Stanach Zjednoczonych. Mając do wyboru trwanie w ślepym posłuszeństwie wobec Kościoła i wyjście naprzeciw realnym problemom społecznym, wybrały to drugie. Ton zmianom nadały same przełożone, które po Soborze Watykańskim II zreformowały żeńskie życie zakonne.

– Musimy zrozumieć, o co chodzi w przemianach – powiedziały i wysłały siostry na najlepsze uczelnie amerykańskie i europejskie. Od lat 50. do tego stopnia kładły nacisk na wykształcenie, że dla wielu kobiet pójście do zakonu było równoznaczne z dostępem do edukacji, na którą nie miałyby w innym wypadku szans. Nie chodziło tylko o teologię, ale wszelkie kierunki, które we współczesnym świecie były potrzebne siostrom, żeby mogły jak najlepiej spełniać swoją posługę.

W tym samym czasie amerykańskie siostry włączyły się także w ruch przemian obywatelskich – protestowały przeciwko wojnie w Wietnamie, upominały się o prawa kobiet i czarnych mieszkańców Stanów Zjednoczonych. Na tej fali część przyłączyła się – jako zakonnice – do ruchów feministycznych. W latach 70. wiele z nich było zaangażowanych w działania na rzecz kapłaństwa kobiet.

Jedną z nich była Theresa Kane, zakonnica należąca do Sióstr Miłosierdzia. Pod koniec lat 70. przewodniczyła Konferencji Przełożonych Wyższych Zgromadzeń Żeńskich, zrzeszającej 90 procent amerykańskich zakonnic. Kiedy w 1979 roku Jan Paweł II przyjechał z pielgrzymką do Stanów Zjednoczonych, była jedyną kobietą zaproszoną, aby go oficjalnie powitać.

Na filmie z tamtego czasu widać papieża w białej szacie, siedzącego na środku pod ołtarzem w ogromnej katedrze oświetlonej niczym uniwersytecka aula. W ławach pięć tysięcy sióstr zakonnych z całego kraju. Na mównicę wchodzi Theresa Kane. Ma na sobie szarą garsonkę, w klapie żakietu krzyż. Od dawna nie nosi już habitu ani welonu. Przemawia w imieniu zgromadzonych. Prosi papieża, żeby wsłuchał się w głos kobiet i otworzył na nie serce. Mówi, że jeśli Kościół chce być wierny swoim słowom o szacunku i godności kobiet, musi otworzyć dla nich możliwość spełniania kapłańskiej posługi. Nikt do tej pory nie odważył się powiedzieć tego tak głośno i donośnie do najwyższego dostojnika Kościoła.

Rok później, przemawiając na zgromadzeniu generalnym, Kane powie już ostrzej:

– Przez dwa tysiące lat kobiety były systematycznie wykluczane z Kościoła jako instytucji. Kościół rzymskokatolicki nie może głosić godności, szacunku i równości wszystkich osób, a jednocześnie kontynuować systematycznego wykluczania kobiet z pełnego udziału w instytucjonalnym Kościele.

Oprócz kapłaństwa kobiet amerykańskie zakonnice były zaangażowane także w inne kontrowersyjne dla Watykanu działania. Przede wszystkim nie potępiały aborcji. Nie pochwalały jej, ale więcej zagrożeń widziały w jej zakazie. – Legalna możliwość przerywania ciąży jest dla kobiet bezpieczniejsza niż pokątne zabiegi – mówiły głosem Theresy Kane.

Niektóre, jak Donna Quinn, przewodnicząca drugiej ważnej organizacji zrzeszającej zakonnice w Stanach Zjednoczonych, wprost domagały się zmiany stanowiska Kościoła w sprawie antykoncepcji.

Po drugie, wspierały także gejów i lesbijki. – Dlaczego mamy odmawiać posługi wierzącym? Kimże jesteśmy, żeby potępiać czyjąś miłość? – pytały, nie zgadzając się ze stanowiskiem Watykanu, że związki osób homoseksualnych przynoszą złe owoce.

Po trzecie, były najsilniejszym od lat głosem reform w Kościele, postulując, żeby zbliżył się on do spraw ludzkich, mówił językiem normalnego człowieka i widział jego problemy. Poparły między innymi Obama Care, ustawę gwarantującą bezpłatną opiekę medyczną kilkudziesięciu milionom najuboższych obywateli. Zrobiły to wbrew stanowisku biskupów, którzy obawiali się, że w ten sposób dopuści się do finansowania z budżetu państwa antykoncepcji. Watykan przestraszył się rosnącej pozycji sióstr wśród amerykańskich katolików. Zaczęły cieszyć się większym szacunkiem niż uwikłani w skandale pedofilskie księża.

W 2009 roku Kongregacja Nauki i Wiary postanowiła ukrócić samodzielność zakonnic. Kongregacja ta, co warto przypomnieć, pochodzi w prostej linii od Świętej Inkwizycji i ma takie samo zadanie, jak przed wiekami: dążyć do zachowania jedności wiary oraz zwalczać błędy i fałszywe doktryny. Do sióstr wysłano z Watykanu dwie wizytacje, które miały ocenić ich działalność, a także przyjrzeć się ich życiu i majątkowi. Część przełożonych o kontroli dowiedziała się z mediów. Przebiegała ona bardzo burzliwie, niektóre zgromadzenia nie wpuściły wizytatorów. Po czterech latach Watykan ogłosił, że o ile w zakonach nie dochodzi do odstępstw od nauczania Kościoła, o tyle konferencja zrzeszająca przełożone powinna poddać swoje przekonania rewizji. Ograniczył jej autonomię i nakazał nadzór nad nią jednemu z arcybiskupów, który jako kurator ma prawo ingerować w jej działania. Na siostry nałożono między innymi obowiązek konsultacji z nim treści wszystkich swoich przemówień.

Arcybiskup w wywiadzie telewizyjnym nie miał wątpliwości, że Ojciec Święty wyznaczył mu tę rolę powodowany swoją wielką miłością i troską o członkinie konferencji. Obecna przewodnicząca, siostra Patricia Farell, ripostowała, że troski nie zauważa, widzi natomiast lęk przed tym, że kobiety zaczną zmieniać Kościół, gdy wreszcie zyskają pozycję równą mężczyznom. Dodała też, że siostry winne są posłuszeństwo przede wszystkim Bogu, który wezwał je właśnie do takiej służby, jaką pełnią, i za którego wolą będą nadal podążać. – Można ścinać kwiaty, ale wiosny to i tak nie zatrzyma – podsumowała, cytując rewolucjonistę Ernesta Che Guavarę.

Zakonnice z lotu ptaka

Amerykańskie zakonnice są w awangardzie przemian w Kościele. U nas sytuacja jest odwrotna. Żeby zobaczyć polskie siostry z lotu ptaka, trzeba sięgnąć do danych statystycznych. Nie ma ich zbyt wiele.

Źródłem informacji o polskich zakonnicach jest organizacja, która je zrzesza – Konferencja Wyższych Przełożonych Żeńskich Zgromadzeń Zakonnych, a konkretnie Sekretarka Generalna siostra Jolanta Olech. Pytam, dlaczego w roczniku statystycznym można znaleźć dane dotyczące wieku i wykształcenia zakonników, a nie ma takich informacji o siostrach.

– Tak się po prostu układają sprawy – odpowiada. – Jeśli nie ma danych, to znaczy, że siostry nie chciały odpowiedzieć na takie pytania.

Zakony męskie bardzo szczegółowo prezentują swoją działalność. Chwalą się na przykład, że ojcowie prowadzą sześć internetowych rozgłośni radiowych i dwie telewizyjne, 600 oficjalnych stron www, osobiste portale, blogi, a nawet 62 kawiarenki z dostępem do sieci dla wszystkich zainteresowanych. Czy są podobne dane o zakonach żeńskich?

Nie ma.

– Nawet nie bardzo tym się interesujemy, czy jakieś zgromadzenie prowadzi swoją stronę czy nie – tłumaczy siostra Olech.

Dodaje, że ma jeszcze statystyki dotyczące tego, czym siostry się zajmują.

– Mogłabym je udostępnić, tylko musiałybyśmy się zobaczyć, bo wie pani, to są tak zwane delikatne dane i tak na telefon byłoby trudno.

Te delikatne dane to informacje o tym, jakie dzieła prowadzą siostry (ile przedszkoli, a ile domów opieki) i jakie wykonują zawody (ile katechetek, ile pielęgniarek). Znalazłam je już wcześniej na stronie internetowej konferencji. Ustalamy, że siostra Olech właśnie je miała na myśli. Mówi, że w takim razie niczym więcej nie dysponuje.

Czego można się więc dowiedzieć ze statystyk?

W 2014 roku było w Polsce około 20,5 tysiąca sióstr łącznie w zakonach kontemplacyjnych i zgromadzeniach czynnych.

W zakonach kontemplacyjnych (inaczej klauzurowych) przebywają mniszki, które spędzają całe życie w zamknięciu, na modlitwie i pracy za murami klasztoru. Natomiast istotą zgromadzeń czynnych (inaczej kongregacji) jest zaangażowanie zakonnic zarówno w modlitwę, jak i w działania w świecie, na rzecz potrzebujących. W książce mowa jest tylko o tych drugich. Również nazywa się je zakonami. Oficjalne definicje i rozróżnienia są bardzo skomplikowane. Dość wiedzieć, że zakony i zgromadzenia to stowarzyszenia wiernych zatwierdzone przez władze kościelne, których członkowie składają śluby posłuszeństwa, ubóstwa i czystości. Brat czy siostra to osoby konsekrowane, czyli „poświęcone Bogu".

Konferencja podaje, że obecnie w podlegających jej 101 kongregacjach czynnych jest 18 899 sióstr, do tego trzeba dodać około 300 ze wspólnot niezrzeszonych. W zakonach kontemplacyjnych przebywa 1320 mniszek.

Zakonnic jest coraz mniej. W Europie i Stanach Zjednoczonych w ciągu ostatnich 30 lat ich liczba spadła o połowę lub więcej. Zmiany najlepiej widać na osi czasu. W tabelach dla porównania liczba księży i zakonników.

DUCHOWNI NA ŚWIECIE I W EUROPIE W LATACH 1990–2010

	ŚWIAT 1990	ŚWIAT 2010	EUROPA 1990	EUROPA 2010
KSIĘŻA OGÓŁEM	403 173	412 236	244 606	190 150
KSIĘŻA DIECEZJALNI	257 696	277 009	176 312	133 537
KSIĘŻA ZAKONNI (OJCOWIE)	145 477	135 227	68 294	56 613
BRACIA	62 526	54 665	28 525	17 669
SIOSTRY	882 111	721 935	448 348	286 024

ŹRÓDŁO: *Kościół katolicki w Polsce 1991–2011. Rocznik statystyczny*

Statystyki oddzielają braci (tych, którzy złożyli tylko śluby i nie wybrali drogi kapłana) od ojców (też złożyli śluby, ale zostali wyświęceni na księży), wszyscy oni są jednak zakonnikami. W pozostałych przypadkach słowo „bracia" w książce określa wszystkich mężczyzn w zakonie.

W Polsce liczba sióstr też się zmniejsza, ale wolniej. Mniej jest także zakonników, ale za to więcej księży diecezjalnych. Polska i Słowacja są jedynymi krajami w Europie, w których nastąpił wzrost, a nie spadek powołań.

DUCHOWNI W POLSCE W LATACH 1960–2010

	1960	1980	1990	2000	2010
SIOSTRY	27 064	24 927	25 519	24 775	21 538
BRACIA	1 775	1 425	1 524	1 393	1 166
KSIĘŻA ZAKONNI (OJCOWIE)	4 053	4 748	6 188	6 176	5 635
KSIĘŻA DIECEZJALNI	12 382	15 478	19 037	21 280	24 297

ŹRÓDŁO: Józef Baniak, *Powołania do kapłaństwa i do życia zakonnego w Polsce w latach 1900–2010. Studium socjologiczne*

Tuż przed wybuchem II wojny światowej było w Polsce 17 tysięcy zakonnic i 6,5 tysiąca zakonników. Aż do lat 60. liczba sióstr rosła.

Jeśli chodzi o czasy współczesne, wśród sióstr przebywających w zgromadzeniach czynnych, czyli tych, które są bohaterkami książki, w 2014 roku było:

17,6 tysiąca zakonnic po ślubach wieczystych,
800 zakonnic po ślubach czasowych (junioratek),
270 nowicjuszek,
220 postulantek.

Ile z nich występuje? W 2007 roku kongregacje opuściło 75 sióstr po ślubach wieczystych, o kilkanaście więcej niż trzy lata wcześniej. Późniejszych statystyk nie można znaleźć. Średnio co roku występuje około 80 junioratek i około 40 nowicjuszek.

Nie wiemy, w jakim wieku są siostry, ale możemy sądzić, że jest podobnie jak u zakonników. U nich drastycznie spadła liczba młodych – tylko 3 procent jest poniżej 30 roku życia, a liczba starszych, którzy ukończyli 50 rok życia, wzrosła o 80 procent.

Aż 60 procent sióstr jest na emeryturze, rencie lub nie pracuje z powodu choroby.

Połowa zakonników sprawuje obowiązki duszpasterzy, kapelanów lub proboszczów.

Religii uczy prawie co piąty zakonnik i co dziesiąta siostra.

Na uczelniach wyższych pracuje 810 ojców (12 procent) i 69 sióstr (0,3 procent).

Placówki prowadzone przez zakony to inaczej dzieła. Wybrałam najważniejsze i zestawiłam.

Siostry specjalizują się w przedszkolach – prowadzą ich aż 372; prócz tego 98 szkół i 1 uczelnię wyższą. Bracia mają 10 przedszkoli, 126 szkół i 10 uczelni wyższych. Zakony żeńskie i męskie są bardzo zaangażowane w pomoc dla osób z niepełnosprawnością, chorych lub starszych. Ciężar opieki nad dziećmi i dorosłymi z upośledzeniem prawie w całości spoczywa na siostrach, w sumie prowadzą 50 różnego typu zakładów opiekuńczych i 160 domów pomocy społecznej. Mężczyźni wyspecjalizowali się w pracy z osobami z uzależnieniem (25 ośrodków) i bezdomnych (11), mają też pieczę nad 34 domami pomocy społecznej. Siostry prowadzą domy dziecka (55), domy samotnej matki (5) i okna życia (21). Zakonnicy – poradnie psychologiczno-pedagogiczne (57), ośrodki pomocy rodzinie (85), kluby sportowe dla młodzieży (118) i o 50 więcej niż zakony żeńskie świetlic dla dzieci (139), a także szpitale (6), hospicja (14), ośrodki ziołolecznictwa (11) i apteki (12).

Jeśli przyjrzeć się dostępnym danym, wynika z nich, że zakonnicy, choć jest ich o jedną trzecią mniej niż sióstr, nie ustępują im w działaniach na rzecz potrzebujących. A przecież pełnią również obowiązki kapłanów w blisko 700 parafiach.

Największe różnice pojawiają się w działalności kulturalnej.

Siostry prowadzą:
7 wydawnictw,
1 bibliotekę wiedzy religijnej,
21 pracowni haftu i szycia,
7 pracowni opłatków.

Ojcowie i bracia prowadzą:
1 ogólnopolską telewizję,
3 rozgłośnie radiowe,
43 wydawnictwa,
106 czasopism religijnych,
29 czasopism naukowych,
500 księgarni,
57 muzeów,
53 festiwale muzyki poważnej i organowej,
22 festiwale piosenki religijnej.

Zakonnicy

Czy bracia naprawdę żyją inaczej niż siostry? Szukam ojców, którzy odpowiedzą na to pytanie. Ojcowie – jest ich w sumie siedmiu – wolą nie mówić nawet, z jakich są zakonów. – Nam to może i nie zaszkodzi, ale naszym parafianom owszem – tłumaczą. – Już teraz mają kłopot, żeby wziąć u nas ślub. Kiedy proboszcz się dowiaduje, że to „u tamtych", to kartki nie chce dać. Inni potwierdzają: – Dzieci, które do nas chodzą, mają niższą ocenę z religii.

Od razu na początku słyszę dowcip:

Ksiądz przynosi swoją białą albę do zakrystii. Ale nigdzie nie może jej położyć. Dlaczego? Bo jeśli to zakon męski, alba się pobrudzi, a jeśli żeński, to alba pobrudzi zakrystię.

Potem jeszcze jeden:

W klasztorze zakonnice sprzątają. Przecierają wszystko szmatką. Szmatka najpierw jest czarna, potem szara, a na końcu biała. Nie ma już ani pyłku. Przychodzi przełożona: – Czy nie mogłybyście choć raz posprzątać porządnie?

Istotnie, zakony męskie i żeńskie różnią się kolosalnie już na pierwszy rzut oka. Nie jest to tylko kwestia porządku. Wszyscy ojcowie chodzą bez habitów. Kiedy nocuję w jednym z klasztorów, dostaję klucz za klauzurę, żeby poczęstować się kolacją z zakonnej lodówki. Za refektarzem salonik. Na stole leży „Gazeta Wyborcza" i kilka innych tytułów. Obok książki, które właśnie zostały kupione. Są nawet te wydane przez Krytykę Polityczną. Jest też barek bogato zaopatrzony w alkohole. Za barkiem wielka sala – biblioteka. Od sufitu do podłogi wypełniona książkami. Na klasztornym ksero mogę odbić sobie nawet konstytucje zakonu. Nie ma przeszkód. U sióstr często nawet nowicjuszki nie mogą ich oglądać.

Ojcowie od razu dorzucają kilka innych różnic:

– Faceci, jak się pokłócą, to dadzą sobie po ryju i żyją dalej, a siostry nie powiedzą, o co chodzi, tylko szpile wbijają. Żaden facet by na to nie wpadł.

– U nich nie ma nawet pozorów demokracji. Są siostry, które zawsze były przełożonymi. Rada wybiera matkę generalną, matka generalna wybiera radę. Nie ma szans na świeżą krew, która nie dałaby się zindoktrynować.

– W męskich zakonach jest dużo więcej wolności. Jak chcę, to otwieram mój laptop i sprawdzam coś w internecie. Mam pieniądze, płacę za swój telefon. A siostra? Jeśli w ogóle ma komputer, to bez dostępu do sieci. Za każdym razem musi powiedzieć przełożonej, na jaką chce wejść stronę i po co – wtedy być może dostanie zgodę.

– Wszystko u nich trzeba zgłaszać. Po co mówić, że idę do ogrodu? Gdy świeci słońce, to tylko podwinąć rękaw, odsłonić nogi. A im nie wolno. Śmieszne, żenujące, przykre.

– Przyjeżdżają tu postulantki. Jedną znałem wcześniej, po pół roku w zakonie była zupełnie zmieniona, totalnie upupiona, wycofana, zalękniona. Spuszczone oczy, skulona.

– Są ciągle w pracy, zrywają się o piątej rano, nie mogą zaspać. „Jak to, siostra zmęczona? Poprzedniczki dawały radę. Może siostra nie ma powołania?" A ja budzę się rano i zagospodaruję swój dzień. Przeora nie obchodzi, jak to zrobię.

– Żyją w religijnym matriksie. Powołaniem nazywają to, że się zaharowują. A przecież odpoczynek jest wkalkulowany w życie. Potrzebny jest reset, żeby się na chwilę wyłączyć.

– Spowiedź sióstr jest nieporadna, jak u dziecka: kłócę się z Panem Bogiem, nie mam uczuć w trakcie mszy świętej, nie klęczę równo z innymi. A to nie ma żadnego znaczenia. Wiarę sprowadzają do obrzędów.

– Katują się religijnie. Zasypiają nad różańcem, ale jeszcze muszą odrobić pół adoracji i zaległości z wczoraj. Siedzą, aż skończą. Liczy się obecność ciałem, a nie zaangażowanie duchem. Potem mówią, że gubią Pana Boga, a to są proste rzeczy: muszą się wyspać.

– Poświęcają się bez umiaru. Dzień w dzień sześć godzin w kaplicy i osiem godzin pracy. Jak długo da się tak wytrzymać? U nas są klasztory, które mają tylko jedną modlitwę wspólną w ciągu dnia. Sami decydujemy, jak będzie najlepiej dla wszystkich. A one boją się cokolwiek postanowić, żeby nie naruszyć żadnego z odwiecznych przepisów.

– Nie dają sobie prawa do przeżywania własnej depresji, bo boją się, że je wywalą. To może by siostra poszła do psychologa? Nie, bo uznają mnie za świrkę. Proponuję, że umówię psychologa w ramach spowiedzi, a ona powie tylko, że idzie do księdza. Niech to zostanie między nami. Nie. Jest tak przestraszona, co inne powiedzą, co ze ślubem posłuszeństwa, że nie.

– Drobiazgi urastają do problemów. „O Jezu, ojcze, nie teraz, jestem bez welonu". Kocham swój habit, ale to tylko narzędzie, nie cel. A tu fasadowość jest trzonem życia zakonnego. W środku pusto. Nie ma możliwości wypowiadania się, twórczej dyskusji.

– Są siostry, które porobiły doktoraty z teologii, wykładają w seminariach. I cały czas są gorzej traktowane, nie poważają ich ani księża, ani przełożone.

Wszyscy mówią to samo. Pytam ich, z czego to wynika. Jak to się stało, że zakony męskie mają się dobrze, a w żeńskich sytuacja jest dramatyczna? Czy to natura, czy kultura wpędziła siostry w takie położenie? Zdania są podzielone.

Starsi zakonnicy obstają przy tym, że wynika to z przeogromnych i wrodzonych różnic między płciami. Po jednej stronie jest kobieca wiara w wolę Bożą, a po drugiej logika męskiego rozumu. Skupienie na szczegółach i detalach *versus* podążanie za ideą, zajmowanie się sprawami ogółu. Krępowanie siebie regułami, przepisami kontra wolność wyboru, myślenia, stanowienia o sobie.

Młodsi nie są tak radykalni. Dostrzegają różnice, ale dla nich wynikają one z kultury.

– Do dziś słyszę na rekolekcjach przedmałżeńskich, że kobieta jest od modlenia się i zajmowania domem. To nasza ultrakatolicka-pobożno-maryjna mentalność.

– Taki utrwalił się obraz kobiety w Polsce. Bardzo tradycyjny. Przyczyny tkwią w historii. W średniowieczu zdecydowano, że kobiety będą mogły wieść zakonne życie tylko za klauzurą. Mogą się modlić i pracować, ale za murami klasztoru, bez możliwości wyjścia na zewnątrz. Dopiero wtedy ich czystość będzie bezpieczna – uzasadniał swoją decyzję papież Bonifacy VIII w 1298 roku. *Aut maritus, aut murus* – głosiło średniowieczne powiedzenie: albo mąż, albo mury okiełznają kobietę. Nad klauzurą czuwali biskupi – u nich mniszkom udawało się czasem wyprosić dyspensę na opuszczanie klasztoru. Kiedy jednak dwieście lat później Kościołowi katolickiemu zagroziła reformacja, Sobór Trydencki znów zamknął mniszkom drogę do świata. Skasowano wszystkie dyspensy, a trzy lata później, w 1570 roku, odebrano biskupom możliwość ich udzielania. Odtąd żadnej mniszce bez zgody samego papieża, a w szczególnych przypadkach biskupa, nie wolno było wyjść za bramę klasztoru. Tym, które się nie podporządkowały, groziła ekskomunika.

Kobiety przez setki lat mogły iść tylko do klasztoru klauzurowego. Mężczyźni, prócz życia pustelnika, mieli do wyboru służbę Bogu w świecie. Mogli pielęgnować chorych w szpitalach i przytułkach, zajmować się farmacją i ziołolecznictwem, pomagać biednym. Mogli nauczać młodzież w licznych szkołach przyklasztornych, a przede wszystkim głosić kazania, katechezy i sprawować nad ludem opiekę duszpasterską. W późniejszym czasie mniszkom również pozwolono na prowadzenie szkół dla dziewcząt, które jednak miały pozostawać w obrębie klasztoru. W Polsce do dziś przetrwały takie zakony klauzurowe, jak benedyktynki, norbertanki, klaryski czy karmelitanki bose. Od czasów oświecenia powstawały jednak również inne wspólnoty kobiet (na przykład szarytki czy urszulanki), które pomagały chorym, kalekim, niedołężnym, nędzy miejskiej, starcom, nierządnicom, czyli kobietom upadłym – jak wtedy je nazywano. Nawet jeśli zostały założone przez księdza lub biskupa, Kościół bardzo długo nie chciał ich oficjalnie uznać. Ostatecznie ich istnienie przypieczętował papież Leon XIII w 1901 roku. Nazwano je zgromadzeniami czynnymi, dla odróżnienia od zakonów klauzurowych.

– Przełożone mają głęboką nieufność do człowieka, do świata. Uważają, że im więcej kontroli, tym lepiej. Sześć godzin modlitw? Świetnie. Dołóżmy jeszcze więcej. Ograniczmy siostrę, żeby nie mogła uczynić żadnego zła. Nie poszła szukać chłopów, po knajpach się szlajać – powiedział jeden z braci.

– Ale czyż tej nieufności nie zaszczepiła jej przez wieki męska połowa ludzkości? – pytam, nawiązując do dyskusji o historii, która przed chwilą odbyliśmy. – To ojcowie Kościoła mówili, że kobieta jest komnatą diabła. To święty Tomasz głosił, że jest mniej rozumna niż mężczyzna i powinna być mu podległa. To papieże zdecydowali, że kobieta w klasztorze może się tylko modlić, sprzątać i gotować. To mężczyźni przez wieki odnosili się do niej z głęboką nieufnością czy wręcz pogardą. Uważali, że im więcej kontroli, tym lepiej. Zabraniali jej wychodzić z domu, kształcić się, być u władzy, głosować w wyborach. Swoim namiętnościom folgowali bez ograniczeń, ale to jej przypisywali, że jest nierządnicą. Mężczyzna był jurny, a kobieta upadła. Czy nie uważa więc ojciec, że obwinianie za to wszystko przełożonej jest uproszczeniem?

– Zgadzam się, tak było w całej Europie. Ale jednak w innych krajach siostry żyją inaczej, a przecież też przez wieki zaszczepiono im nieufność. A u nas jakby wciąż tkwiły korzeniami w XIX wieku.

Pokolenia zakonne

Wiek XIX w Polsce to walka o niepodległość, romantyczne marzenia o wolności i klęska powstań, a potem praca u podstaw i odbudowa narodu. To *Pan Tadeusz*, *Dziady*, *Lalka* i *Siłaczka*. W drugiej połowie wieku pozytywistyczne idee zaczęły przyciągać społeczników, którzy chcieli pomagać najbiedniejszym, szerzyć oświatę, uczyć niepiśmiennych. Wśród nich było wiele kobiet. Nie mogły one jednak decydować o sobie. W ich imieniu nawet w mniej ważnych sprawach głos zabierał mąż, ojciec albo brat. Nie wyobrażano sobie, żeby same założyły organizację, nawet dobroczynną, a tym bardziej nią kierowały. Jeśli chciały działać samodzielnie, mogły robić to tylko jako wspólnota religijna. Kobiety szukały więc wsparcia dla swojej niezależności w Kościele, tworząc zgromadzenia czynne. Na ziemiach polskich powstało ich w XIX wieku ponad pięćdziesiąt, wśród nich dominikanki, elżbietanki, służebniczki, felicjanki, marianki i zmartwychwstanki (te ostatnie na emigracji). Z Europy przywędrowało do nas wiele innych, takich jak siostry szkolne Notre Dame czy franciszkanki od pokuty i miłości chrześcijańskiej. Zakony klauzurowe, zarówno męskie, jak i żeńskie, były natomiast zamykane w całej Europie – chciano w ten sposób ograniczyć władzę duchowieństwa.

Walka kobiet, także zakonnic, o prawo do samostanowienia była długa. Historyczka profesor Ewa Wipszycka pisze w książce *Kobiety uczą Kościół*, że biskupi i księża aż do XX wieku uważali, że kobiety, jako istoty głupsze z natury, nie powinny ani studiować, ani głosować w wyborach. Spierali się nawet o to, czy dziewczynkom wolno pobierać nauki w szkole elementarnej. Z jednej strony będą mogły wtedy czytać Pismo Święte, z drugiej – pisać listy miłosne, a to już niebezpieczne. Część duchownych stała więc na stanowisku, że kobiety powinny pozostać analfabetkami.

Zakony żeńskie odegrały więc ogromną rolę w kształceniu kobiet. Po pierwsze, umożliwiały części sióstr staranną edukację. Po drugie, wiele z powstających w XIX wieku zgromadzeń otwierało szkoły, stawiając sobie za cel kształcenie dziewcząt. Im jednak wyższy szczebel edukacji, tym było trudniej

Pierwsza kobieta została przyjęta na Uniwersytet Jagielloński dopiero w 1897 roku, przeszło pięćset lat po jego powstaniu! Na pierwszą habilitację trzeba było poczekać do 1919 roku, a bez niej nie można było prowadzić wykładów dla studentów. Przed wojną na Jagiellonce profesurę uzyskały tylko dwie kobiety; na Uniwersytecie Warszawskim nieco więcej, ale zabrało to całe lata – pierwszy przyznano tytuł na etnologii w 1934 roku, następny na weterynarii w 1937, na medycynie w 1938. Profesorki stanowiły u progu II wojny zaledwie 5 procent ówczesnej kadry uniwersyteckiej.

Proces emancypacji kobiet przebiegał na całym świecie w różnym tempie. W Polsce szybko uzyskały prawa wyborcze, jednak w innych dziedzinach życia wciąż nie byliśmy w europejskiej awangardzie. Po II wojnie zostaliśmy odcięci od nowych prądów i myśli w świecie zachodnim, w dużym stopniu ominęła nas rewolucja obyczajowa lat 60. Komunizm miał jednak wpływ na zrównanie pozycji kobiet i mężczyzn, bo w brutalny i represyjny sposób zniósł stary porządek i zakwestionował dotychczasową strukturę społeczną. W efekcie dano możliwość dostępu do edukacji i kultury tym, którzy wcześniej nie mieli na to szans, w tym milionom kobiet. Mogły się kształcić na równi z mężczyznami, pracować w prawie wszystkich zawodach, ich niezależność rosła.

Zabrakło jednak zmiany w postrzeganiu kobiety jako tej, która tak samo dobrze radzi sobie w myśleniu, zarządzaniu i wychodzeniu obronną ręką z życiowych opresji, a mężczyzny jako tego, który potrafi opiekować się dziećmi. Ten proces dokonuje się teraz. Większość krajów europejskich, Stany Zjednoczone czy Kanada ma już dawno za sobą dyskusje, które my teraz prowadzimy – jesteśmy na szarym końcu choćby pod względem liczby parlamentarzystek, a podpisanie konwencji przeciwdziałającej przemocy wobec kobiet zostało niemal zablokowane przez polski Kościół.

Nawet wolniejszy proces dochodzenia do równości nie wyjaśnia jednak dramatycznej różnicy pomiędzy sytuacją polskich zakonnic a sióstr za granicą. Gdybyśmy byli zupełnie odcięci żelazną kurtyną od reformatorskich prądów na Zachodzie, to zakony męskie również pozostałyby nietknięte odnową. A tylko u nas siostry zakonne odnoszą się z wielką rezerwą do posoborowych zmian. Zmuszają nowe kandydatki do przyjęcia archaicznych reguł i nie reformują swoich zgromadzeń nawet w tym zakresie, w jakim mogłyby to zrobić. Nie bronią praw kobiet, nie wypowiadają się publicznie, nie walczą o zmianę swojej pozycji w Kościele. Komunizm skończył się w 1989 roku i od tego czasu Polska przeobraziła się kolosalnie. Zakony żeńskie, jak mogą, opierają się jednak duchowi współczesności. Dlaczego?

Obecną sytuację tłumaczy się tym, że po II wojnie siostrom odebrano wiele dzieł. Szpitale, przedszkola, szkoły, domy opieki przeszły na własność państwa. Zakonnice musiały zacząć pełnić posługę na plebaniach, w zakrystiach i kuriach biskupich, co uczyniło je zupełnie zależnymi od księży. Podobny proces dotknął także zakony męskie – z tym że ojcowie mogli utrzymać się z posługi duszpasterskiej, a siostry nie. Jednak w latach 60. pisano, że zakonnice są przepracowane, a w zgromadzeniach brakuje młodych, które zastąpiłyby starą kadrę – co raczej nie wskazuje na konieczność dociążania ich nowymi obowiązkami.

Musi więc istnieć inne wyjaśnienie. Tekstów na ten temat prawie nie ma. Wyjątek to artykuł Ewy Jabłońskiej-Deptuły, nieżyjącej już profesor Katolickiego Uniwersytetu Lubelskiego, która zajmowała się historią polskich zakonów w XIX wieku. Arcybiskup Życiński wspominał, że na pytanie o przemiany Kościoła w Polsce, gdy wszyscy przesyłali nie więcej niż trzy kartki maszynopisu, ona napisała czterdziestostronicowy tekst pełen konkretnych propozycji.

Artykuł, który pozwala zrozumieć polskie zakonnice, pochodzi z 1966 roku. Nosi tytuł *Problemy rozwoju i adaptacji polskich XIX-wiecznych zgromadzeń żeńskich* i został opublikowany w „Znaku".

Profesor Jabłońska-Deptuła liczy pokolenia zakonne. Wychodzi jej, że w zgromadzeniach do władzy dochodzi pokolenie trzecie. Wtedy, kiedy to pisze, czyli w roku 1966.

Pokoleniem zakonnym nazywa grupę sióstr, która została w podobny sposób ukształtowana przez zgromadzenie, niezależnie od wieku osób wchodzących w jej skład, czyli otrzymała tę samą formację.

Pierwsze pokolenie to siostry skupione wokół założycielki – postaci charyzmatycznej i wybitnej. To ona opracowuje zbiór reguł określających życie i zwyczaje kongregacji oraz decyduje o przyjmowaniu nowych zakonnic. Nawet jeśli w powstaniu zakonu miał udział ksiądz, to i tak prędzej czy później oddaje on władzę w ręce przełożonej. Wspólnota ma jasny dla wszystkich cel, który wynika z potrzeb epoki. Przyciąga kobiety, które służbę potrzebującym przedkładają nad inne sprawy. Nierzadko silne, stanowcze i niezależne, które nie boją się przeciwstawić Kościołowi. Bo przecież robiły rzeczy wówczas nie do pomyślenia. Jak kobieta może sama chodzić do chorych? Zadawać się z nędzarzami, kobietami niemoralnie się prowadzącymi?! Powinna jak dawniej siedzieć za klauzurą! – grzmieli duchowni.

Zakonnice muszą walczyć o swoją niezależność już od chwili powstania zgromadzenia. Wiedzą, czym chcą się zajmować, co zapisać w konstytucjach, jakich wybrać kierowników duchowych. Walczą, żeby nie podporządkować się radom biskupów, proboszczów czy narzuconych im spowiedników. Nie znajdują oparcia w Kościele, który zwleka z uznaniem zgromadzeń i przedłuża proces zatwierdzania konstytucji nierzadko o całe dziesięciolecia. Wszystko odbywa się w atmosferze zagrożenia likwidacją zakonu przez zaborców. Przeciwności jednak konsolidują siostry. Szacunkowe dane mówią o kilkunastu tysiącach zakonnic na ziemiach polskich u progu XX wieku.

Drugie pokolenie to zakonnice, które dołączają po śmierci założycielki. Otrzymują formację z rąk pierwszej generacji – osób, które świetnie znały fundatorkę i mają ją żywo w pamięci. Każda z sióstr chce przekazać nowicjuszkom coś, co dla niej było najważniejsze. Szybko tworzy się mit matki założycielki – osoby doskonałej i heroicznej, o anielskiej dobroci. Jej wizerunek staje się wygładzony i przesłodzony. Usuwa się z pamięci wszystko, co do niego nie pasuje. Nowicjuszkom (muszę tu zacytować panią profesor) „nie daje się do ręki pism fundatorki, karmi się je natomiast obficie ustnymi lub spisanymi relacjami o «mateczce»". Młode siostry mają przyjmować wszystko na wiarę i o nic nie pytać.

Na potrzeby zgromadzenia powstaje szereg hagiograficznych opracowań dotyczących życia założycielki. Wszelki bunt wobec takiego przekazu jest od razu tłumiony z uwagi na podejmowanie starań o otwarcie procesu beatyfikacyjnego pierwszej przełożonej. Jednostki wybitniejsze mają do wyboru albo się podporządkować, albo opuścić zgromadzenie.

Drugie pokolenie nabiera przekonania, że ich kongregacja jest najlepsza – ma najdoskonalszą duchowość i najświętszą założycielkę. Gdy ktoś próbuje podważyć te dwie prawdy, zakonnice cierpią w poczuciu krzywdy. Są tak mocno przekonane o doskonałości zgromadzenia, że pragną zachować wszystkie dawne zwyczaje i tradycje, „bo tak było za matki". Pielęgnują pamięć o tamtym okresie i stawiają go za wzór dla nowicjuszek. Łatwo im zapomnieć, że założycielka do końca wprowadzała zmiany, by pomóc swojemu zgromadzeniu w przystosowaniu się do nowych czasów.

Po jej śmierci zgromadzenie jest nękane licznymi wizytacjami zwierzchników i ponownie poddane bacznej obserwacji ze strony władz kościelnych. Siostry znów muszą walczyć o autonomię. W większości zgromadzeń ten okres zbiega się z zakończeniem I wojny światowej i wprowadzeniem nowego Kodeksu Prawa Kanonicznego, do którego zakony są zobowiązane się dostosować.

Zakonnice, skupione na podtrzymywaniu mitu założycielki i fanatycznie przywiązane do dawnych tradycji, każdą propozycję zmian odbierają jako ingerencję w swoją tożsamość. Czują się zagrożone, więc opierają się nawet zmianom, które sprzyjałyby ich rozwojowi. Sytuację zaognia postawa zwierzchników, którzy nie liczą się z argumentami sióstr i w autorytarny sposób narzucają im swoją wolę. Najostrzejsze konflikty wywołuje to, kto ma większe prawo kierowania sumieniem sióstr – przełożone czy spowiednik – co Watykan ostatecznie rozstrzyga na korzyść księży.

W takiej atmosferze zakonnice z drugiej generacji przejmują odpowiedzialność za formację kolejnej. Trzecie pokolenie napływa do zgromadzenia przed II wojną i tuż po niej. To ciężkie lata dla zakonów. Siostry giną, zmniejsza się liczba powołań, po wojnie zaczynają się stalinowskie prześladowania. Tworzy się wyrwa pokoleniowa i druga generacja nie ma komu oddać władzy. Dla nowicjuszek założycielka jest już tylko postacią historyczną. Nie rozumieją, dlaczego miałyby kurczowo trzymać się dawnych przepisów. Przychodzą z zupełnie inną mentalnością niż ta z początku wieku. Starsze siostry zwalczają oznaki sprzeciwu żądaniem całkowitego posłuszeństwa. Uważają młodsze za nieodpowiedzialne i słabe. Wymagają od nich skrupulatnego i gorliwego wypełniania wszystkich reguł i tradycji, które stopniowo wszyscy zaczynają uważać za istotę życia zakonnego.

Narasta kryzys. To, co druga generacja przekazuje trzeciej, nie ma już żadnego zakorzenienia we współczesnej rzeczywistości. Zmieniły się problemy społeczne, dla których rozwiązania zgromadzenie zostało powołane. Oddaliła się też realna osoba założycielki, a wraz z nią wartości, które przyświecały jej pracy i legły u podstaw tworzenia kongregacji. Nowe pokolenie już ich nie czuje. Zostało nauczone jedynie gorliwego przestrzegania przepisów zakonnych. Nie jest w stanie tchnąć w zgromadzenie nowego ducha.

I tu profesor Jabłońska-Deptuła dochodzi do lat 60. XX wieku. Pisze, że w tej sytuacji zakonnice mają do wyboru: całkowitą odnowę albo zupełne skostnienie. Jej artykuł zbiega się z Soborem Watykańskim II i głoszonym przez niego *aggiornamento*, odnową niosącą nadzieję na zmianę archaicznych, XIX-wiecznych przepisów obowiązujących siostry.

Trzecie pokolenie miało szansę na odnowę swojego zgromadzenia. Czy jednak było to możliwe, jeśli siostry zostały ukształtowane w przekonaniu o doskonałości własnej kongregacji? W przeświadczeniu, że trzeba ocalić jej tożsamość przed ingerencjami z zewnątrz, przede wszystkim ze strony biskupów, proboszczów i spowiedników? Jeśli zostały nauczone, że istotą życia zakonnego jest gorliwe przestrzeganie reguł i tradycji? Jeśli były rozliczane z tego, jak długo klęczą i czy prosto trzymają głowę?

A jeśli nie podjęły reform, to co w takim razie przekazały czwartemu pokoleniu sióstr? Temu, które właśnie jest u władzy?

Dwadzieścia sióstr, które opowiedziały mi swoją historię, należało do zgromadzeń założonych w XIX wieku, najdalej w dwudziestoleciu międzywojennym. Przełożone, o których mówią bohaterki, to pokolenie czwarte lub jeszcze trzecie...

Profesor Jabłońska-Deptuła wróciła do tematu zakonnic dopiero w 2004 roku, na łamach „Tygodnika Powszechnego". Zabrała głos w jednej z nielicznych dyskusji na ten temat wywołanej serią trzech artykułów Katarzyny Wiśniewskiej. Jej teksty opierały się na wypowiedziach byłych sióstr, które opisywały zakony podobnie jak bohaterki tej książki.

Profesor Jabłońska-Deptuła, wówczas już siedemdziesięciotrzyletnia, napisała:

Dziejami polskich zgromadzeń i zakonów zajmuję się od blisko półwiecza. Gdy rozpoczynałam badania, z dużą nieufnością przyjmowano wszelkie wywody oparte na traktowaniu wspólnot zakonnych jako grupy socjologicznej, która podlega określonym prawidłowościom. W majowym numerze ,,Znaku" w 1966 r. opublikowałam refleksję o zakonnych pokoleniach formacyjnych i ich stosunku do założycieli.

[...]

Te rozważania wywołały wówczas znaczne poruszenie (łącznie z protestem żeńskiej konsulty zakonnej) ze względu na użycie świeckich narzędzi badawczych w stosunku do rzeczywistości sakralnej. Poza tym w PRL do kanonów zachowania należało powstrzymywanie się od wszelkich uwag czy wniosków krytycznych wobec Kościoła – i niepokój konsulty miał pewne uzasadnienie. Dominowało także przekonanie, że życie zakonne jest tematem tabu, którym mogą zajmować się wyłącznie osoby konsekrowane.

[...]

Mimo upływu czasu [dzisiaj] podział między świeckimi i duchownymi pozostał jednak równie głęboki. Tym pierwszym nadal nie wolno zaglądać w życie tych drugich, tym bardziej się o nich wypowiadać czy oceniać ich postawy. Gdy ktoś owo tabu przełamie, stanowi przykład krytyki ,,bezczelnej inteligencji katolickiej", nawet jeżeli laikat chce powiedzieć czy zapoczątkować coś pozytywnego.

Teksty krytyczne w stosunku do zakonów żeńskich na łamach pism katolickich są rzadkością. Najgłośniejsze były trzy: artykuł profesor Jabłońskiej-Deptuły, wywiad z siostrą Celestyną i tekst Katarzyny Wiśniewskiej. Wszystkie wywołały oburzenie, protestowała konsulta, czyli Konferencja Przełożonych Wyższych Żeńskich Zgromadzeń Zakonnych. Czy to znaczy, że kolejne pokolenie zakonnic odziedziczyło niepokój o losy zgromadzenia? Niepokój, który każe im się bronić przed jakąkolwiek uwagą z zewnątrz i zmusza do ochrony swojej tożsamości za wszelką cenę?

DREWERMANN

„W Kościele katolickim od stuleci nie istnieje surowsze tabu niż duchowni" – pisał Eugen Drewermann w książce *Kler. Psychogram ideału*. Do lektury Drewermanna zachęcali mnie Beata Anna Polak, która obroniła o nim pracę doktorską, i jej mąż, profesor Tomasz Polak (dawniej Węcławski), niegdyś ksiądz i dziekan Wydziału Teologicznego poznańskiego Uniwersytetu im. Adama Mickiewicza. Teraz razem kierują tam Pracownią Pytań Granicznych i zajmują się strukturami władzy w Kościele katolickim.

Eugena Drewermanna nazywano Lutrem XX wieku. Urodzony w ojczyźnie reformacji, przez lata wykładał teologię na uniwersytecie w niemieckim Paderborn. Był katolickim księdzem, który pragnął odnowy Kościoła. Głęboko wierzący, choć nie według ram, które zostały mu nadane. Swoje tezy opublikował w czterdziestu tomach teologicznych analiz, w których postawił pod znakiem zapytania wszystkie fundamenty chrześcijaństwa. Twierdził, że Biblii nie należy rozumieć dosłownie, że jest tylko metaforą, która pokazuje ponadczasowe wartości piękna, dobra, prawdy. Głosił, że religia powinna wyzwalać, a nie niewolić. Zarzucał Kościołowi katolickiemu, że przedstawia jako dogmat taką interpretację Pisma, dzięki której zapewnia sobie władzę i dostatni byt na wieki.

Jak Marcin Luter, który potępił stan duchowny, tak i Drewermann poddał go surowej krytyce w książce *Kler. Psychogram ideału*, wydanej w 1989 roku. Pisano, że wszczął „najbardziej dramatyczny spór teologiczny naszych czasów". W Polsce w „Tygodniku Powszechnym" ukazała się przychylna jej recenzja autorstwa księdza Oko.

Rok później udzielił gazecie „Der Spiegel" wywiadu zatytułowanego *Jezus nie chciał tego Kościoła*, w którym zakwestionował dogmat niepokalanego poczęcia. Stało się to pretekstem do uciszenia reformatora przez Kościół, najprawdopodobniej na żądanie samego kardynała Ratzingera, kierującego wówczas Kongregacją Nauki i Wiary. Drewermannowi zakazano nauczania teologii, a następnie głoszenia kazań. Zmuszony do wycofania się z pracy duszpasterskiej, wytrwał w Kościele do 2005 roku, kiedy na sześćdziesiąte piąte urodziny dokonał aktu apostazji.

Profesor Tomasz Polak (dawniej Węcławski) ma wiele wspólnego z Drewermannem. Obaj byli teologami o wysokiej pozycji, dzięki której słuchano ich, gdy piętnowali grzechy duchownych. Tylko jednak do czasu, bo kiedy prawda stała się zbyt niewygodna, Kościół zadbał, aby ich zmarginalizować. Węcławski był zaangażowany w ujawnienie sprawy arcybiskupa Paetza, który przez lata molestował kleryków. Wobec milczenia polskich hierarchów, prosił o interwencję arcybiskupa Dziwisza, ówczesnego sekretarza Jana Pawła II. Bezskutecznie. Na Węcławskiego zaczęto naciskać, żeby zostawił sprawę. Nie zrobił tego, stracił pozycję dziekana, a potem wiarę w Kościół, który okazał się ślepy na grzech. Dokonał apostazji. W końcu Watykan interweniował i odsunął arcybiskupa od posługi duszpasterskiej. Paetz przeszedł na emeryturę, zachowując swoje przywileje. Do dzisiaj bierze udział w Kościelnych uroczystościach, a Benedykt XVI przesłał mu list gratulacyjny z okazji pięćdziesiątej rocznicy święceń kapłańskich.

Kościół milczy w takich sprawach, tuszuje je, ucina dyskusję. Milczy także w wielu innych. Jedno ciało, jeden głos.

Niesubordynowani księża dostają zakaz publicznych wypowiedzi. Każdy powinien znać swoje miejsce w hierarchii. Znają je i siostry. Gdyby zaczęły mówić, jak naprawdę wygląda ich życie, mogłoby to zostać odebrane jako wystąpienie przeciw Kościołowi. O pewnych rzeczach ze świeckimi nie wolno rozmawiać – konstatuje profesor Jabłońska-Deptuła. „W Kościele katolickim nie istnieje surowsze tabu niż duchowni" – pisze Drewermann i szuka przyczyn. Stawia fundamentalne pytanie: czy duchowni powinni służyć Kościołowi Chrystusa poprzez skrajną lojalność wobec hierarchów czy przez „osobistą prawdę i prawdomówność swojego życia"? Na kilkuset stronach wnikliwych rozważań spisanych trudnym analitycznym językiem rozwija myśl: Kościół to machina władzy, która używa Ewangelii, żeby podporządkować sobie wiernych. Przed wiekami ogłosił, że ludzie mogą zwracać się do Boga tylko przez pośrednika – kapłana. Chrystusowi nie o to chodziło! Drewermann przywołuje słowa Hegla:

> Kościół zajął miejsce sumienia: prowadził jednostki jak dzieci i mówił, że człowiek może być uwolniony od zasłużonych męczarni nie przez swoją własną poprawę tylko przez działania wykonywane na rozkaz sług Kościoła: uczęszczanie na msze, dopełnianie pokuty, odmawianie modlitw, pielgrzymki, czynności pozbawione ducha i otępiające ducha.
>
> Cały rozwój nauki, jej pojmowanie, wiedza o boskości są bez reszty w posiadaniu Kościoła, on ma decydować, a świeccy mogą tylko zwyczajnie wierzyć: posłuszeństwo jest ich obowiązkiem.

Potem konkluduje, że do dzisiaj nic się w tej kwestii nie zmieniło i Kościół nadal uzurpuje sobie władzę absolutną nad myśleniem wiernych:

> Po 2000 latach teologii w świecie zachodnim nie ma takiej sprawy w życiu zarówno prywatnym, jak i publicznym, w której duchowni Kościoła katolickiego nie znaliby jasnej, wskazującej

kierunek, prostej i jednoznacznej odpowiedzi, albo nie sądzili, że muszą ją mieć. Źródła swojej wiedzy uważają za niezaprzeczalne: słowo Boże w Piśmie Świętym i autorytet nauczycielski Kościoła pod kierunkiem Ducha Świętego. Ktokolwiek chce należeć do Kościoła katolickiego, musi podporządkować się ich decyzji.

Dalej pisze, że najbardziej wyrazistym i przerażającym przykładem władzy absolutnej Kościoła nad ludźmi są katolickie zakonnice. Przez całe życie nie mogą przeczytać ani jednej gazety i ani jednej książki, którą sobie same wybiorą. Nie wolno im obejrzeć żadnego filmu, sztuki teatralnej, pójść na wykład czy wziąć udziału w jakiejkolwiek dyskusji, jeśli ich przełożona nie uzna tego za potrzebne i nienaganne. „Czy można wyraźniej oznajmić, że Kościół w ogóle nie życzy sobie samodzielności myślenia, zdolności krytycznych, dojrzałości ducha?" – pyta.

Drewermann oprócz tego, że jest teologiem, jest też psychoanalitykiem – w swoich analizach Biblii często odwołuje się do psychologii głębi Carla Gustava Junga. Pracował jako terapeuta, w swojej praktyce często stykał się z siostrami zakonnymi.

Dalej pisze jeszcze ostrzej, że nawet w więzieniu ludzie mają większą swobodę myśli i informacji niż ta, którą Kościół przewidział dla „służebnic Chrystusa". Jest krytyczny wobec posoborowej odnowy życia zakonnego. Uważa, że daleko jeszcze do rzeczywistej swobody myślenia i dialogu. Poddaje analizie wszystkie mechanizmy, które sprawiają, że duchowni stają się bezwolnym narzędziem w ręku Kościoła.

Zaczyna od zakwestionowania idei powołania. Nie podważa tego, że człowiek może mieć kontakt z Bogiem, który wskazuje mu drogę postępowania, ale twierdzi, że struktury Kościoła przyciągają ludzi z różnych innych powodów. Wśród nich są pragnienie awansu społecznego czy wpływ religijnych rodziców. (Na wiele podobnych przyczyn wskazuje też profesor Baniak na podstawie badań księży w swojej książce *Wierność powołaniu a kryzys tożsamości kapłańskiej*). Ale według Drewermanna w zakonach i seminariach najlepiej odnajdują się osoby niepewne siebie i potrzebujące autorytetu. Autorytetu, który wskaże im prawdę, poda reguły i powie, jak żyć. W struktury Kościelne wchodzą najczęściej w wieku nastoletnim i nie widzą, że odbiera im się samodzielność myślenia i postępowania. Drewermann pokazuje, jak stopniowo ksiądz czy zakonnica wyrzekają się swojej tożsamości, przekonani, że tego oczekuje od nich Chrystus. Wśród tych kroków jest przyjęcie jednolitego ubioru, odmawianie wciąż i wciąż tych samych litanii, różańców i koronek, słuchanie tych samych czytań. Wprost służą temu śluby posłuszeństwa, mimo że Jezus był przeciwny przysięgom – zawsze wynikającym z lęku, a nie z ufności w Boga.

Rezygnacji z siebie służy ścisły zakaz rozwijania w sobie osobistych uczuć do innych i kontrola myśli, które mogłyby prowadzić do grzechu. Ingerencja Kościoła szczególnie mocno odczuwana jest w najintymniejszej sferze życia, jaką jest seksualność. Siostrom zakonnym przez lata wpaja się, że każde dobrowolnie wywołane doznanie rozkoszy poza małżeństwem trzeba uznać za ciężki grzech, za grzech śmiertelny, za utratę boskiej łaski, za winę, która w przypadku śmierci bez rozgrzeszenia zostanie ukarana wiecznym potępieniem. Wiele latami cierpi z tego powodu, że pojawiają się u nich „grzeszne myśli" lub, co gorsza, bo dobrowolnie wywołują u siebie doznanie rozkoszy.

Część z nich obawia się wyznać to matce przełożonej podczas aktów albo któryś raz temu samemu spowiednikowi, a nie wyspowiadać się z ciężkiego grzechu oznacza ściągnąć na siebie wieczne potępienie. Przekonane o swojej niedoskonałości i czekającej je karze, całkowicie poświęcają się Bogu. Przestrzegają reguł we wszystkich innych sprawach tak drobiazgowo, jak to tylko możliwe.

Wreszcie rezygnacji z siebie służy poświęcenie się bez umiaru, do którego zachęcane są siostry swoim rozkładem obowiązków, niepozostawiającym czasu na odpoczynek. Ciągle na służbie, muszą wykonać wszystko, czego żądają od nich zwierzchnicy: przełożone, księża, biskupi. Nie mogą się sprzeciwić, ponieważ jest to uważane za sprzeczne z duchem pokory. Nieustanne przeniesienia z placówki na placówkę sprawiają, że siostry żyją z walizką w ręku i nie angażują się w działania, które potem muszą przerwać. A jeśli któraś z nich nie wytrzymuje i odchodzi, łatwo jest obarczyć ją winą: nie podołała, nie umiała w pełni zawierzyć Chrystusowi, nie poradziła sobie z kryzysem wiary.

Można wówczas oskarżać przełożone, że zmuszają do publicznego wyznawania grzechów, pracy ponad miarę czy ciągłych przeprowadzek. One jednak robią tylko to, czego od nich oczekuje Kościół. Nie należy sprowadzać tego, co się dzieje w zakonach, do faktu, że niektórzy zawodzą, przeorysza błądzi, a zarządzanie zakonem jest oparte na archaicznych metodach. Nie chodzi o indywidualne błędy, lecz o nieludzkość utrwalonego od stuleci systemu konsekwentnego niszczenia jednostki na wszystkich płaszczyznach egzystencji, uznanego za nietykalny przy użyciu najróżniejszych świątobliwych frazesów – podsumowuje Drewermann.

Pisze te słowa jako katolicki ksiądz, poczuwający się do odpowiedzialności za Kościół, którego jest członkiem. Pragnie jego innego oblicza. Bóg Jezusa Chrystusa był dobry i wybaczający. Nie chciał Kościoła, który ciemięży ludzi w imię utrzymania nad nimi władzy. To nie ma nic wspólnego z Ewangelią – powtarza w swojej książce.

KAZANIE

Drewermann nie daje wiele nadziei. Trudno znaleźć coś, co pokrzepi osoby, które chciałyby innego Kościoła. Na co mogą liczyć siostry zakonne, które zostały i trwają w swoim powołaniu na przekór wszystkiemu? Co powinny uczynić, kiedy nie zgadzają się na to, co każe im przełożona lub ksiądz? Co mają zrobić ci, którzy nie chcą takiej nauki Kościoła, która ocenia, deprecjonuje, potępia?

Jest niedziela, zbliża się południe. Święty Jan na gdańskiej starówce. Przychodzę tam znaleźć odpowiedź. Tu odprawia mszę ksiądz Niedałtowski, duszpasterz środowisk twórczych. Twórca Gdańskiego Areopagu, dyskusji o wartościach, w których brali udział najwybitniejsi polscy intelektualiści. Człowiek światły i mądry.

Zaczyna się czytanie. Dziś Ewangelia świętego Marka. O tym, jak Jezus wysyła apostołów w miejsce pustynne, aby odpoczęli. Zaczyna się kazanie.

Oto Słowo Pańskie.
Chwała Tobie Chryste.

Jezus mówi: pójdźcie osobno i wypocznijcie. Jak można rozumieć te słowa? Po co apostołowie mają pójść sami na miejsce pustynne? Tymi słowami Jezus zachęca do wypoczynku rozumianego jako dobre, spokojne wejście w siebie, gdzie jest się bezpiecznym i blisko Boga. Gdzie wraca się do swoich korzeni, do samej istoty człowieczeństwa, które jest odblaskiem Boskiej natury. Odsyła ich osobno na miejsce pustynne, żeby mogli oddalić się od tłumu i usłyszeć swoje sumienie.

Wszyscy w życiu staniemy czasem przed taką sytuacją, w której musimy wybrać między wolnością a obowiązkiem, między sumieniem a posłuszeństwem. Jak rozegrać to napięcie? Między tym wszystkim, co w nas jest sumieniem, głosem Boga, a tym, co nakazuje nam świat?

Słowami dzisiejszej Ewangelii Jezus podpowiada nam, czym się kierować. Sumienie jest tym miejscem osobnym, miejscem pustynnym, tym odpoczynkiem od hałasu i zgiełku świata. Tam możemy usłyszeć siebie, a w sobie głos Boga. Podstawowym obowiązkiem każdego z nas jest słuchać własnego sumienia. Pewnie wielu z nas przeczytało malutką książeczkę ojca Ludwika Wiśniewskiego pod nazwą *Blask wolności*. Była załączona do „Tygodnika Powszechnego". Ojciec Ludwik Wiśniewski, idąc tropem świętego Tomasza z Akwinu, mówi: najważniejszym i ostatecznym kryterium twojego postępowania ma być twoje sumienie. I mówi mocno: jeśli twoje sumienie dobrze ukształtowane nie zgadza się z jakimś prawem, działaj według nakazu sumienia, bo tam jest blask prawdy. To jest twój podstawowy ludzki obowiązek. Mówi jeszcze mocniej: jeśli twoje sumienie nie zgadza się z nauką Kościoła i zrobiłeś wszystko, aby się upewnić, że jest ono prawe, to musisz iść za jego głosem, za głosem twojej wolności. Tak uczy Kościół. Bowiem w wolności mieści się także odpowiedzialność. Odpowiedzialność za kształtowanie sumienia. Masz dbać o jego prawidłowe działanie, konfrontując je z innymi ludźmi, z nauką Kościoła, Biblią, wiarą. I wtedy, jeśli masz pewność, że twoje sumienie jest dobrze ukształtowane, idź za nim, bo to nim powinieneś się kierować. Jeśli się temu sprzeniewierzysz, wtedy grzeszysz.

Słuchajcie, to wielka odpowiedzialność. Z jednej strony wydaje się, jesteśmy wolni, całkowicie wolni, ale z drugiej musimy nad sobą pracować, żeby nasze sumienie nie stwardniało. Nie przyzwyczaiło się do zła. To zadanie na całe życie: szukanie miejsca osobnego. Zachęcajmy się do tego, byśmy umieli się w sobie odnaleźć. Jezus nigdy od nas nie żąda ślepego posłuszeństwa i nie będzie żądał, bo religia chrześcijańska jest zachętą do dobrowolności, do wyboru. Jest tylko zaproszeniem, nigdy przymusem. Jest krokiem, który robisz w stronę twojej wolności. Amen.

BÓG

Magdalena: Gdy pytasz mnie o Boga, czuję się jak pięćdziesięciolatek, który ma sobie przypomnieć, jak to było kiedyś, kiedy wierzył w świętego Mikołaja. To wszystko jest dawno za mną.

Dorota: Na ołtarzu posłuszeństwa złożyłam swój największy dar – wolność. Złożyłam go Bogu, ale tak naprawdę przełożonej. Oddałam siebie w ręce drugiego człowieka. To nie mogło się udać. Ta idea jest zbyt idealna, żeby nie rodziła nadużyć. Bóg tego nie potrzebuje. Ani tego daru, ani tych dyskusji, czy Jezus miał dziurkę tu czy tu, czy są trzy osoby czy cztery. Nie sądzę, żeby ktoś z tych na górze tym się zajmował. Wierzę, że jest coś poza nami. Kościół mnie do tego nie zbliża.

Iwona: Pytasz mnie znów o Boga? Nie wiem. Naprawdę nie wiem. Może gdzieś jest. Ale ten Kościół, te zakony, to pranie mózgu, które tam przeszłam, to wszystko wydaje mi się wbrew naturze. Cały czas jestem niespokojna, szukam odpowiedzi. Myślę. Chciałabym wiedzieć. A nie wiem.

Agnieszka: Łamałam ślub posłuszeństwa. Nie chciałam tego, nie przyszłam do zakonu z tym założeniem. Ale to jest pytanie, jak chcemy przeżyć nasze życie. Czy być z tych pokornych i wszystkiemu się poddawać? Tłumaczyć sobie, że cierpimy dla Boga? Czy iść swoją drogą?

Izabela: Tam, gdzie człowiek, tam i grzech. Zły duch potrafi zadziałać. Kościół ma swoją czarną stronę. Ale Bóg jest ponad to. Istnieje, cokolwiek byśmy robili, czy w niego wierzymy, czy nie.

Joanna: Kiedyś wierzyłam w Boga chrześcijańskiego, trójjedynego, żywego, miłosiernego, który jest miłością i dobrocią. Myślałam, że mogę z Nim nawiązać kontakt.

Teraz nie mam pewności, czy istnieje. Ale jeśli tak, to nie jest patriarchalnym Ojcem, który skazał Syna na śmierć. Nie uważam, że oddać za kogoś własne życie to szczyt miłości. Miłość, Bóg nie wymaga krwawych ofiar, nie ma płci, jest ponad moje wyobrażenia o nim – niepojęty.

Kim jest Bóg? Czy w ogóle jest? Może po prostu przyjąć zakład Pascala? Życie osoby wierzącej to nieustanne przedzieranie się do Boga, odbijanie się od Jego milczenia. Trudne okresy zwątpienia i krótkie przebłyski pewności, że jednak jest – ale zupełnie nie tak, jak sobie wyobrażamy. Czy Boga można pojąć? Objąć umysłem, przyswoić jak teorię naukową? Co my wiemy o Bogu?

Kościół próbuje nam wmówić, że wiara wszystko załatwi – ale cóż to za relacja, skoro nawet nie ma pewności, czy jej główny Obiekt istnieje, a jeżeli tak, to w jaki sposób i dlaczego? Bóg z Katechizmu jest płytki, prymitywny, przewidywalny. Bóg Starego Testamentu jest groźny, mściwy, tajemniczy, żądny krwawych ofiar. Bóg Dobrej Nowiny – poświęcił własnego Syna, wydał go na śmierć.

Czasem brakuje mi Boga, który mógłby w prosty sposób nadać sens mojej egzystencji.

Brakuje mi Boga, który zachwyca, zadziwia... Boga, który się odsłania, który pozwala się usłyszeć i doświadczyć. Boga, który jest zaprzeczeniem ludzkiego o Nim wyobrażenia. Który jest, w którym można się zanurzyć i znaleźć ukojenie. Brakuje mi mojego Boga. Chcę, żeby był w ludzkiej bezsilności, opuszczeniu, samotności, lęku, niezrozumieniu, w chwili uniesienia, radości, żalu, smutku i śmierci.

Beniamina, czwarte pokolenie

Wczesna wiosna, jestem przejazdem w Krakowie. Jeszcze nie wpadłam na pomysł napisania książki, jeszcze nie usłyszałam wszystkich tych historii. Znam tylko Joannę i Magdalenę, które opowiedziały mi o nocach w bibliotece, ukradkowych spojrzeniach w refektarzu, biciu serca w starym domku. Pytałam o tysiące szczegółów, żeby w wyobraźni przejść się razem z nimi po klasztornych korytarzach. W mapach Google obchodziłam budynki dookoła i krążyłam po okolicy. Wszystko pojawia się przed oczami jak żywe, jakby ktoś nakręcił film.

A teraz jestem w Krakowie i chcę stanąć przed bramą, sprawdzić, ile kroków jest od postulatu do kaplicy, zobaczyć, jak daleko trzeba było iść do lasu. Może uda mi się porozmawiać z jakąś siostrą? Zagadnąć, jak się żyje dominikankom? Joanna i Magdalena powiedziały, żeby zapytać o Beniaminę, tę, która ostatniej nocy położyła je w pokoju gościnnym. – To była bardzo fajna i rozsądna siostra. Ciekawe jesteśmy, co się z nią dzieje – mówią.

Idę więc ulicą wysadzaną kasztanowcami, dochodzę do klasztoru. Z jednej strony budynek jak szkoła, stara willa, z drugiej szary prostokąt postulatu. Jest niedziela, świeci słońce, na ulicy żywego ducha. Szczelne ogrodzenie, brama zamknięta. Obchodzę klasztor dookoła. Co powiedzieć siostrom? Nie chcę kłamać, ale wiem, że jeśli zacznę od dwóch zbiegłych postulantek, to nie będzie dobry wstęp. Byłe zakonnice traktuje się przecież jak umarłe. Można się za nie modlić, ale na pewno się o nich nie rozmawia. Kilka sióstr przygląda mi się uważnie zza firanki.

Dzwonię. Mówię, że przyjechałam z daleka, dużo o nich słyszałam. I skoro jestem teraz w Krakowie przejazdem, to nie wyobrażałam sobie, że nie zobaczę domu generalnego.

Furtianka wprowadza mnie do maleńkiego pokoiku, gdzie mieszczą się tylko stół i krzesła. Zaraz przybiega następna siostra. Obydwie od razu mówią do mnie na „ty": siadaj tutaj, poczekaj, plecak połóż pod ścianą. Naradzają się chwilę, co ze mną zrobić. Stwierdzają, że najlepiej pójść po przełożoną. Czekam dziesięć minut. Wchodzi siostra przełożona. Nie przedstawia się, tylko szorstko pyta, o co chodzi. Też mówi do mnie na ty. Więc jeszcze raz: przepraszam za najście, wiem, że to pewnie kłopot, ale jestem z daleka, przejazdem. Tłumaczę, że tyle słyszałam i czytałam o dominikankach, sama kiedyś myślałam o życiu zakonnym (nie dodaję, że w buddyjskim klasztorze). Że chciałabym porozmawiać z jakąś siostrą.

– No to proszę – przełożona sama chce załatwić sprawę. Wymownie spogląda na zegarek. Pytam więc, żeby nawiązać kontakt, jak wygląda zwykły dzień dominikanek.

Przełożona patrzy na moją obrączkę i mówi, że życie zakonne zupełnie różni się od małżeńskiego i ludzie świeccy nie są w stanie tego zrozumieć. Są zbyt ciekawi i wsadzają nos w nie swoje sprawy. A nikogo nie powinno interesować to, co się dzieje za murami klasztoru.

Pytam więc, czy ciekawość jest zła.

Siostra wyjaśnia, że zależy czyja. Po co komu wiedzieć, jak wygląda życie w zakonie? Jeśli ktoś chce znaleźć do nich drogę, to i tak znajdzie. A ja mogę zajrzeć sobie na ich stronę internetową. Czy mam jeszcze jakieś pytania, bo ma dużo pracy?

Nie wiem, co się kryje za stwierdzeniem, że jak ktoś chce znaleźć do nich drogę, to i tak znajdzie. Ja właśnie chcę. Atmosfera jednak nie sprzyja pogłębianiu tematu. Bąkam więc tylko, że stronę przeglądałam. W swojej naiwności myślałam, że przełożona wskaże siostrę, która powie mi dwa słowa o dominikankach i może pokaże kaplicę, bo i tak przecież w niedzielę odbywają się w niej msze dla parafian. Nie przypuszczałam, że ta wiedza jest tak chroniona. Chwytam się więc ostatniej deski ratunku.

– A czy jest siostra Beniamina? Może ona zechciałaby ze mną porozmawiać? Wiele dobrego o niej słyszałam od dwóch postulantek, które kiedyś tu były.

Przełożona wygląda na zaskoczoną, ale szybko wraca do szorstkiego tonu. Nie ma siostry Beniaminy. Wyjechała za granicę. Na wiele miesięcy.

– Ale czy na misję? – dopytuję.

Cisza. Przełożona patrzy na mnie, jakby wiedza na temat siostry Beniaminy była tajemnicą.

– Zastanawiam się po prostu, czy można się z nią skontaktować – wyjaśniam. Tak, można, na ogólny mejl zgromadzenia podany na stronie. Przekażemy. Przełożona już stoi w drzwiach, a ja jeszcze próbuję: – A może siostra wskazałyby, co mogłabym poczytać o dominikankach? Może Konstytucje zgromadzenia?

To dokument wewnętrzny. Wykluczone.

Kiedy staję za bramą klasztoru, uciekam do lasu. Byle dalej. Jakie okropne spotkanie. Jakie nieprzyjemne. A przecież tak z ulicy każdy mógł przyjść i z ciekawości spytać, jak żyją siostry. Czy to takie przestępstwo?

Opowiadam Joannie i Magdalenie przez telefon, jak okropnie czuję się po spotkaniu z dominikankami i że nie zastałam Beniaminy. Potem biegnę na autobus. Nie dochodzę jeszcze do przystanku, kiedy dzwonią:

– Ale numer! Beniamina niedawno została Matką Generalną! Jest przełożoną, to z nią musiałaś rozmawiać. Ale się zmieniła. Nie do wiary!

Faktycznie nie do wiary. Do teraz trudno mi uwierzyć, że Beniamina mogła zaprzeczyć swojemu istnieniu. Na wszelki wypadek podpytuję dominikanów, z którymi się spotkam, czy Matka Generalna jest na miejscu. – Nic nam o tym nie wiadomo, aby gdziekolwiek wyjechała – odpowiadają...

Bohaterki książki

W niektórych przypadkach imiona i inne dane umożliwiające identyfikację zostały zmienione na prośbę bohaterek.

Joanna i Magdalena – 10 miesięcy w zakonie, 16 lat poza nim
Dorota – 4 lata w zakonie, 12 lat poza nim
Justyna – 6 lat w zakonie, 1 rok poza nim
Iwona – 2 lata w zakonie, 20 lat poza nim
Agnieszka – 5 lat w zakonie, 16 lat poza nim
Izabela – 9 lat w zakonie, 9 lat poza nim
Jola – 23 lata w zakonie, 6 lat poza nim
Halina – 20 lat w zakonie, 10 lat poza nim
Elwira – 13 lat w zakonie, 1,5 roku poza nim
Natalia – 13 lat w zakonie, 3 lata poza nim
Sabina – 8 lat w zakonie, 7 lat poza nim
Elżbieta – 7 lat w zakonie, 19 lat poza nim
Weronika – 7 lat w zakonie, 14 lat poza nim
Małgosia – 7 lat w zakonie, 4 lata poza nim
Bogna – 4 lata w zakonie, 10 lat poza nim
Alicja – 4 lata w zakonie, 16 lat poza nim
Martyna – 3 lata w zakonie, 7 lat poza nim
Ewa – 2 lata w zakonie, 30 lat poza nim
Jadwiga – 2 lata w zakonie, 25 lat poza nim

BIBLIOGRAFIA

W pracy nad książką korzystałam z następujących źródeł:

Adamiak Elżbieta, *Chrześcijaństwo jest religią kobiet*, [w]: *Kobiety uczą Kościół*, Monika Waluś i in. w wywiadach Jarosława Makowskiego, Wydawnictwo W.A.B., Warszawa 2007.

Adamiak Elżbieta, *Ta druga, inna od mężczyzny*, wywiad przeprowadziła Anna Mateja, „Tygodnik Powszechny", 8 grudnia 2002.

Armstrong Karen, *The Spiral Staircase: My Climb Out of Darkness*, First Anchor Book Edition, 2005.

Baniak Józef, *Powołania do kapłaństwa i do życia zakonnego w Polsce w latach 1900–2010. Studium socjologiczne*, Wydawnictwo Naukowe WNS UAM, Poznań 2012.

Baniak Józef, *Wierność powołaniu a kryzys tożsamości kapłańskiej. Studium socjologiczne na przykładzie Kościoła w Polsce*, Wydawnictwo WT UAM, Poznań 2002.

Bielawski Maciej, *Odejścia*, Wydawnictwo Homini, Kraków 2007.

Bilska Małgorzata, *Czy siostry mogą być trendy?*, Deon.pl., 1 lutego 2012, http:// www.deon.pl/religia/wiara-i-spoleczenstwo/art,430,czy-siostry-moga- -byc-trendy.html (dostęp 22 sierpnia 2015).

Bonowicz Wojciech, *Siostry*, Opoka, http://www.opoka.org.pl/biblioteka/T/TD/ bonowicz_siostry.html (dostęp 22 sierpnia 2015).

Borkowska Małgorzata, *Mniszki*, Wydawnictwo Znak, Kraków 1980.

Borkowska Małgorzata, *Panny siostry w świecie sarmackim*, Wydawnictwo Naukowe PWN, Warszawa 2002.

Borkowska Małgorzata, *Zakony żeńskie w Polsce w epoce nowożytnej*, Wydawnictwo KUL, Lublin 2010.

Borkowska Małgorzata, *Życie codzienne polskich klasztorów żeńskich w XVII–XVIII wieku*, Państwowy Instytut Wydawniczy, Warszawa 1996.

Ceccarelli Pellegrino, *Savoir-vivre siostry zakonnej*, Wydawnictwo OO. Karmelitów Bosych, Kraków 1985.

Chruszczewski Adam, *Zakony w XVII–XVIII wieku*, „Znak" 1965, nr 11–12 (137–138), s. 1563–1609.

Dekret o przystosowanej do współczesności odnowie życia zakonnego, [w:] *Sobór Watykański II. Konstytucje, dekrety, deklaracje*, Wydawnictwo Pallottinum, Poznań 1968.

Drewermann Eugen, *Kler. Psychogram ideału*, Wydawnictwo Uraeus, Gdynia 2002.

Giertych Celestyna, *Bóg nie chce, abyśmy były wycieraczkami*, wywiad przeprowadzili Jan Grzegorczyk i Paweł Kozacki, „W drodze" 1997, r. 25, nr 12.

Giertych Celestyna, *Nie jestem wycieraczką, nawet jeśli...*, „W drodze" 1998, r. 26, nr 6.

Jędrzejewski Wojciech, *Święta uległość*, „W drodze" 1997, r. 25, nr 12.

Kołodziejczyk Aneta, Monika Waluś, Mirosław Pilśniak, *...i Bóg stworzył kobietę*, Dyskusja, „Więź" 2004, nr 6.

Jabłońska-Deptuła Ewa, *Albo Trójca, albo pchły*, „Tygodnik Powszechny", 30 stycznia 2005.

Jabłońska-Deptuła Ewa, *Problemy rozwoju i adaptacji polskich XIX-wiecznych zgromadzeń żeńskich*, „Znak" 1966, nr 5 (143), s. 549–569.

Jabłońska-Deptuła Ewa, *Siostry fabryczne*, „Znak" 1966, nr 5 (143), s. 612–618.

Jabłońska-Deptuła Ewa, *U źródeł fenomenu felicjańskiego*, „Znak" 1973, nr 4–5 (226–227), s. 492–528.

Jabłońska-Deptuła Ewa, *Zakony i zgromadzenia zakonne w Polsce w XIX i XX w.*, „Znak" 1965, nr 11–12 (137–138), s. 1653–1688.

Jan Paweł II, *List Apostolski Ordinatio Sacerdotalis Papieża Jana Pawła II o udzielaniu święceń kapłańskich wyłącznie mężczyznom*, Opoka, 1994, http://www.opoka.org.pl/biblioteka/W/WP/jan_pawel_ii/listy/ordinatio_sacerdotalis.html (dostęp 22 sierpnia 2015).

Jan Paweł II, *List Apostolski Mulieris Dignitatem*, Opoka, 1988, http://www.opoka.org.pl/biblioteka/W/WP/jan_pawel_ii/listy/mulieris.html (dostęp 22 sierpnia 2015).

Jan Paweł II, *Postsynodalna Adhortacja Apostolska Vita Consecrata*, Opoka, 1996, http://www.opoka.org.pl/biblioteka/W/WP/jan_pawel_ii/adhortacje/vita.html (dostęp 22 sierpnia 2015).

Kane Theresa, *Nun who confronted the Pope*, Makers, www.makers.com/theresa-kane (dostęp 22 sierpnia 2015).

Kłoczowski Jerzy, *Dzieje chrześcijaństwa polskiego*, Świat Książki, Warszawa 2007.

Konferencja Episkopatu Polski, *Struktura KEP*, Konferencja Episkopatu Polski, episkopat.pl/struktura_kep/ (dostęp 22 lipca 2015).

Konferencja Przełożonych Wyższych Żeńskich Zgromadzeń Zakonnych, *Protest i żal*, „Tygodnik Powszechny", 16 stycznia 2005.

Konferencja Przełożonych Wyższych Żeńskich Zgromadzeń Zakonnych, *Statystyki*, http://zakony-zenskie.pl/index.php/statystyka (dostęp 22 sierpnia 2015).

Konferencja Przełożonych Żeńskich Klasztorów Kontemplacyjnych w Polsce, *Statystyki*, http://www.klauzura.katolik.pl/xhtml/statystyka (dostęp 22 sierpnia 2015).

Konferencja Wyższych Przełożonych Zakonów Męskich w Polsce, *Statystyki*, http://episkopat.pl/kosciol/kosciol_w_polsce/statystyki/0.1,index.html (dostęp 22 sierpnia 2015).

Konstytucje i statuty Zgromadzenia Sióstr Świętego Dominika, Kraków 1987.

Kopińska Justyna, *Czy Bóg wybaczy siostrze Bernadetcie?*, Świat Książki, Warszawa 2015.

Kościół katolicki w Polsce 1991–2011. Rocznik statystyczny, ISKK i GUS, Warszawa 2014.

Kościół katolicki w Polsce i na świecie w latach 1918–1990. Rocznik statystyczny, red. Witold Zdaniewicz, Lucjan Adamczuk, GUS, Zakład Socjologii Religii SAC, Warszawa 1991.

Kowalska Faustyna, *Dzienniczek Sługi Bożej S.M. Faustyny Kowalskiej*, Wydawnictwo Zgromadzenia Sióstr Matki Bożej Miłosierdzia, Kraków 1983.

Kozacki Paweł, *Zakonnice odchodzą po cichu*, wywiad przeprowadziła Joanna Podgórska, „Polityka", 15 września 2011.

Księga Konstytucji i Zarządzeń Braci Zakonu Kaznodziejów, Wydawnictwo Polskiej Prowincji Dominikanów W drodze, Poznań 2003.

Lesbian Nuns: Breaking Silence, eds. Nancy Manahan, Keefer Rosemary Curb, Naiad Press, Tallahassee (FL) 1985.

Ludzie tęskniący, z s. Małgorzatą Borkowską rozmawia Elżbieta Adamiak, http://mateusz.pl/ksiazki/dszp/dszp-09-Borkowska.htm (dostęp 22 sierpnia 2015).

Majewski Józef, *Głośny bunt zakonnic nadal trwa*, „Tygodnik Powszechny", 18 czerwca 2012.

Majewski Józef, *Prostowanie niepokornych*, „Tygodnik Powszechny", 28 grudnia 2009.

Majewski Józef, *Siostry bez habitów*, „Tygodnik Powszechny", 8 maja 2012.

Majewski Józef, *Zakonnic kłopoty z doktryną*, „Tygodnik Powszechny", 28 kwietnia 2009.

Morgalla Stanisław, *Gdy sól wietrzeje*, „Tygodnik Powszechny", 2 stycznia 2005.

Olech Jolanta, *Życie zakonne w Polsce po 1989 roku (dla Informatora KAI)*, http://www.urszulanki.pl/index.php/biblioteka/artykuy-matki-jolanty--olech/1911--2008-ycie-zakonne-w-polsce-po-1989-roku-dla-informato-ra-kai (dostęp 22 sierpnia 2015).

Orzeszkowa Eliza, *Ascetka*, Czytelnik, Warszawa 1985.

Parzyszek Czesław, *Życie konsekrowane w posoborowym nauczaniu Kościoła*, Wydawnictwo Księży Pallotynów „Apostolicum", Ząbki 2007.

Polak (Węcławski) Tomasz, *Ciemna strona Kościoła*, wywiad przeprowadził Adam Szostkiewicz, „Polityka", 23 maja 2010.

Radzik Zuzanna, *Kościół kobiet*, Wydawnictwo Krytyki Politycznej, Warszawa 2015.

Radzik Zuzanna, *Zakonnice kontra Watykan. Czas na kobietę w Kongregacji?*, „Tygodnik Powszechny", 9 maja 2014.

Święta Kongregacja Kultu Bożego, *Liturgica Instaurationes*, 1970, http://www.kkbids.episkopat.pl/?id=91 (dostęp 22 sierpnia 2015).

Teresa od Dzieciątka Jezus, *Dzieje duszy*, Wydawnictwo OO. Karmelitów Bosych, Kraków 1996.

Tokarska-Bakir Joanna, *Lęk przed rozwojem. Refleksje o książce Eugena Drewermanna „Duchowni"*, „Etyka" 1995, nr 28, s. 135–153.

Wipszycka Ewa, *Godność gorszej płci*, [w:] *Kobiety uczą Kościół*, Monika Waluś i in. w wywiadach Jarosława Makowskiego, Wydawnictwo W.A.B., Warszawa 2007.

Wiśniewska Katarzyna, *Były ksiądz Tomasz Węcławski: apostata*, „Gazeta Wyborcza", 9 września 2013.

Wiśniewska Katarzyna, *Zakonnice dzisiaj*, „Tygodnik Powszechny", cz. 1, 5 grudnia 2004; cz. 2, 12 grudnia 2004; cz. 3, 19 grudnia 2004.

Wittenberg Anna, *Zakonnice też porzucają habity*, http://natematpl/47237,zakonnice-tez-porzucaja-habity-jedna-z-siostr-usl szala-odprzelozonej-teraz-mozesz-byc-juz-tylko-prostytutka (dostęp 22 sierpnia 2015).

SPIS RZECZY

KONTAKT Z AUTORKĄ

STRONA INTERNETOWA: martaabramowicz.pl
EMAIL: marta@martaabramowicz.pl

Wszystkie osoby chcące podzielić się swoim komentarzem,
w tym szczególnie byłe siostry zakonne, zapraszam do kontaktu.

Marta Abramowicz, *Zakonnice odchodzą po cichu*
Warszawa 2016

Wydanie pierwsze

Printed in Poland

ISBN 978-83-64682-91-9

Korekta: Marzena Jurczyk
Opieka redakcyjna: Maciej Kropiwnicki
Projekt okładki: Piotr Chatkowski
Układ typograficzny, skład: Katarzyna Błahuta

Druk i oprawa: **opol**graf   www.opolgraf.com.pl

Wydawnictwo Krytyki Politycznej
ul. Foksal 16, II p.
00-372 Warszawa
redakcja@krytykapolityczna.pl
www.krytykapolityczna.pl

Książki Wydawnictwa Krytyki Politycznej dostępne są w siedzibie głównej Krytyki Politycznej (ul. Foksal 16, Warszawa, Świetlicy KP w Trójmieście (Nowe Ogrody 35, Gdańsk), Świetlicy KP w Cieszynie (ul. Zamkowa 1), księgarni internetowej KP (www.krytykapolityczna.pl/wydawnictwo) i w dobrych księgarniach na terenie całej Polski.